СЕРИЯ КНІ

доктор Андрей КУРПАТОВ

7 уникальных рецептов

ПОБЕДИТЬ УСТАЛОСТЬ

3-е издание

БЕСТ-СЕЛЛЕР

ОЛМА
МЕДИА ГРУПП

Москва
2010

УДК 159.9
ББК 88.37

Курпатов А. В.
К 93   *7 уникальных рецептов*
ПОБЕДИТЬ УСТАЛОСТЬ — 5-е издание. — М.:
ЗАО «ОЛМА Медиа Групп», 2010. — 224 с.
ISBN 978-5-373-00044-4

Усталость — это настоящий бич современного человека. На
самом деле за усталостью скрывается болезнь, которую называют
или «синдромом хронической усталости», или «переутомлением»,
или «неврастенией». Побороть эту болезнь можно и нужно, главное знать *как*.

Перед вами настоящее практическое пособие по борьбе с усталостью, где изложены самые эффективные методики лечения
этой болезни — и психотерапевтические, и лекарственные. Вы
узнаете о том, как у человека возникает неврастения и что делать,
чтобы предупредить развитие этой болезни.

Андрей Курпатов — уникальный и авторитетный специалист,
врач-психотерапевт, руководитель Клиники доктора Андрея Курпатова, заведующий Санкт-Петербургским городским психотерапевти-
ческим центром, член Балтийской педагогической академии. Его
книги необыкновенно увлекательны, написаны понятным языком,
полны иронии и действительно помогают жить.

УДК 159.9
ББК 88.37

Официальный сайт
АНДРЕЯ КУРПАТОВА

WWW.KURPATOV.RU

WWW.KURPATOV-LIFE.RU

ISBN 978-5-373-00044-4

ОТ АВТОРА

Раньше эта книга называлась «Средство от усталости», но теперь, когда ее сочли «бестселлером», ей дали более *понятное* название — «7 уникальных рецептов победить усталость». Впрочем, меня оба этих названия не устраивают, потому что «усталость» — это слово неправильное, неподходящее и неточное. На самом деле, когда мы *устаем*, мы не устаем, мы *истощаемся*. «Садимся», как переработавшие аккумуляторы.

Западные ученые говорят о «синдроме хронической усталости», российские — о «неврастении». Но кому интересны эти научные коллизии? Известно ведь, что как волка не назови, он все равно в лес смотрит, а истощение смотрит на нас. Жизнь современного человека — стресс, мы живем в напряжении, так что истощение — это наше естественное состояние. Естественное, но нежелательное.

В этой книге содержится алгоритм выхода из тупиковой ситуации, имя которой — истощение. Именно тупиковой, ведь чтобы с чем-то бороться, нужно иметь силы, но если тебе надо бороться с недостатком сил — как быть?!

Перед вами семь шагов, семь рецептов, семь психотерапевтических техник и точная последовательность действий, по сути — план, как «победить усталость». План осуществимый, проверенный, подтвердивший свою эффективность. Как-то же, в конце концов, прошел Одиссей меж Сциллы и Харибды?.. И мы пройдем. Будьте уверены!

За дело! И успеха Вам!

Искренне Ваш,
Андрей Курпатов

ПРЕДИСЛОВИЕ

После того как я написал «Счастлив по собственному желанию», как-то сама собой появилась целая серия книг «Карманный психотерапевт». В них я попытался рассказать о тех вещах, которые, на мой взгляд, недурно было бы знать каждому образованному человеку. Ну посудите сами, в своей повседневной жизни мы пользуемся математическими знаниями (если не профессионально, то хотя бы у кассы продовольственного магазина это делает каждый), а потому вполне понятно, почему нам следовало изучать в школе математику. Мы пользуемся русским языком — говорим, пишем, «читаем со словарем», так что вовсе не случайно уроки русского языка входят в «обязательный образовательный стандарт». Наконец, даже трудно себе представить, какой бы была наша жизнь, если бы в школе мы не изучали литературу; по крайней мере, культурных людей из нас точно бы не получилось. Все это естественно.

Но вот мы пользуемся (и ведь каждый божий день!) своей психологией, своей психикой... А кто нас учил ею пользоваться? Кто объяснил нам, что здесь к чему, что от чего и что за чем?.. Не было в нашей жизни таких уроков, «мы все учились понемногу чему-нибудь и как-нибудь...» В результате на приеме у психотерапевта переаншлаг, а в личной жизни большинства из нас — «зал пуст, погасли свечи». Вот, собственно, для того чтобы как-то остроту этой проблемы снять, я и пишу книжки серии «Карманный психотерапевт». И они адресованы каждому из тех немногих, кому его собственная жизнь не безразлична. Половина этих книг посвящена тому, как «верою и правдою» жить с самим собой, вторая половина — тому, как «долго и счастливо» жить с окружающими. Впрочем, как вы догадываетесь, одно без другого здесь просто не работает.

Теперь же у читателей моего «Карманного психотерапевта», осознающих, что качество их жизни зависит не столько от внешних факторов, сколько от того, как они себя чувствуют, как они себя ощущают, возникли конкретные вопросы. Одних заинтересовало, как справиться с нарушениями сна (то бишь с бессонницей), другие обнаружили у себя депрессию и захотели от нее избавиться, третьим докучают какие-то конкретные страхи (например, страх летать на самолетах, выступать перед большой аудиторией и т. п.), четвертые хотят поправить свое здоровье, пошатнувшееся из-за неустойчивости нервной системы (изжить вегетососудистую дистонию, гипертоническую болезнь, нажитую в молодом еще возрасте, язвенную болезнь желудка и двенадцатиперстной кишки), пятые обеспокоены проблемой излишнего веса, шестые не знают, как побороть усталость и переутомление, седьмые хотят узнать, как им найти общий язык со своим ребенком, восьмые решают для себя вопрос «измены» (своей или в отношении себя), у девятых есть вопросы из области сексологии, десятые... В общем, посыпались вопросы, и мне ничего не остается, как рассказывать о *средствах* решения этих проблем.

Вот и появились эти книжки, эти «экспресс-консультации» по различным проблемам, с которыми все мы сталкиваемся, но время от времени и в разной степени тяжести. А серию этих книг я так и назвал — «Экспресс-консультация». Надеюсь, они будут полезны моим читателям, по крайней мере, моим пациентам изложенные в них «средства помощи» приходятся очень и очень кстати. Впрочем, я не думаю, что эти «экспресс-консультации» могут вполне заменить собой «Карманного психотерапевта». Для того чтобы решить частную проблему, нужно знать, где располагаются ее корни, а для этого необходимо, хотя бы и в общих чертах, представлять себе всю «анатомию» этого дерева, дерева, имя которому ни много ни мало — наша жизнь.

В завершение сего предисловия хочу поблагодарить всех моих пациентов, принявших участие в создании этой книги, а также сотрудников Клиники неврозов им. академика И. П. Павлова, в которой я имею удовольствие работать.

Искренне Ваш,
Андрей Курпатов

ВВЕДЕНИЕ

Что такое усталость — болезнь или не болезнь? Можно ли представить себе медицинскую справку следующего содержания: «Пациент жалуется на утрату сил, быструю утомляемость, забывчивость, трудности при необходимости сосредоточиться; чувствует, что вымотался, истощился; говорит, что не может справиться со своими обычными делами, раздражается по пустякам, нервничает; последнее время стал даже слезлив, мучается головными болями, общей слабостью, сердцебиениями, потерял сон и интерес к жизни. Диагноз: *устал*»?

Выглядит такая справка, конечно, забавно, но вы вполне можете получить ее у врача-психотерапевта. И даже более того — вытребовать на ее основании больничный! Потому что такая болезнь действительно числится в медицинской номенклатуре, правда, название у нее звучит несколько по-другому. За рубежом ее называют «синдромом хронической усталости», а у нас — или «переутомлением», или «неврастенией». Мне, впрочем, ближе последнее определение; «...и дым Отечества нам сладок и приятен» даже в таком неприятном вопросе, как усталость.

Если бы речь шла об обычной усталости, то я бы не мог дать вам никакой другой рекомендации, кроме как: «Отдохните!» Послушавшись доктора, вы бы пошли и отдохнули, а после этого радость жизни вернулась бы к вам незамедлительно. Но проблема хронической усталости (переутомления или неврастении) в том, что такая рекомендация никуда не годится. **Человек, попавшийся в руки к неврастении, просто не может полноценно отдохнуть, даже если пытается. Отдых, как ни странно, не может его вылечить.** Впрочем, это вполне естественно, потому что речь идет не об обычной усталости!

В чем необычность усталости, о которой мы ведем речь? Человек, страдающий неврастенией, прекрасно отдает себе отчет в том, что он, простите за выражение, устал как собака, но со стороны (т. е. окружающим, которые не являются специалистами медицинского профиля) это не всегда заметно. Неврастения может проявляться двумя диаметрально противоположными формами, и часто она совсем не похожа на усталость, хотя именно ею и является, причем очень сильной, хронической и даже, не побоюсь этого слова, патологической.

Первый тип неврастении совсем не похож на усталость. Иногда возникает впечатление, что человек этот не только не заболел, но напротив, чрезмерно здоров! Но это только на первый взгляд… Да, он может быть весьма активен, выглядеть нетерпеливым, остро реагировать на любую мелочь, хвататься за разные дела, прямо-таки гореть, взры-

> Жить каждый день так, как если бы он был последним, никогда не суетиться, никогда не быть равнодушным, никогда не принимать театральные позы — вот совершенство характера.
>
> *Марк Аврелий*

ваться! Но все это следствие его чрезмерной чувствительности, возникшей на фоне нервного истощения. Он подобен оголенному нерву — только тронь!

Каждое событие, каждый звук, каждое ощущение вызывают у такого человека бурную, часто раздражительную реакцию. Он настолько ослаблен, что не может контролировать собственные эмоциональные состояния, и они колеблются у него с необычайной амплитудой, от экзальтации до слез. Однако превалируют, конечно, пессимистичные настроения, и даже в моменты душевного подъема дела не спорятся. Человек приступает к работе, но усидчивости нет никакой, все его отвлекает, раздражает, пугает, напрягает.

Глядя на человека, страдающего вторым типом неврастении, тоже не подумаешь, что он сильно устал. Кажется, что ему и уставать-то не с чего, ведь он толком ничего и не делает. Вялый, пассивный, бездеятельный, движется, словно его пыльным мешком по голове ударили, ничего не хочет, ничто его не интересует. Временами он вроде бы и пытается мобилизоваться, но из этого ничего не выходит.

Иногда он жалуется на здоровье, а иногда только об этом и говорит: все у него что-то колит, болит, тянет, давит и т. п. Неспециалист поспешит сказать, что у такого человека болезнь под названием «лень» с осложнением в виде «симуляции». Поспешит и ошибется! У человека действительно произошел полный перерасход жизненных сил, а от этого разнообразные неприятные телесные ощущения только усиливаются. Поэтому идти ему нужно не к терапевту, а к психотерапевту.

Все это, быть может, выглядит несколько странным. Кажется, что уставший человек должен и выглядеть уставшим, но важно же не то, как мы выглядим, а то, как мы себя чувствуем. А в обоих описанных вариантах неврастении человек чувствует себя уставшим, причем смертельно. Впрочем, этому несоответствию нашего внешнего облика и самоощущения есть вполне понятные объяснения, которых мы коснемся чуть позже. После этого нам станет понятно, как вылечиться от хронической усталости и как предотвратить ее новое появление.

Все будем делать последовательно. Если мы попались в руки этой болячки, торопиться нам уже не стоит — все, добегались и доторопились. Желающие вернуть себе утраченное здоровье должны знать об этом «синдроме» все и хорошо понимать его природу, в противном случае никакие терапевтические меры не помогут. Истощение — это истощение, а потому сил у человека, страдающего неврастенией, мало, и даже на лечение расходовать их нужно с умом и большой осторожностью.

Единственное, о чем я должен сказать во введении — о взаимосвязи неврастении (т. е. нашей патологической усталости) и депрессии. Быть может, вы уже читали мою книгу «Средство от депрессии», и тогда это замечание вам будет совершенно понятно. Для остальных же я вынужден быть более обстоятельным. У нас с вами есть три возможности: мы можем быть в хорошем душевном и психологическом состоянии; можем угодить в неврастению, т. е. заболеть усталостью; а можем попасть в руки депрессии. В чем здесь отличия?

Когда мы в хорошей форме — стрессы нам не помеха, у нас достаточно сил, чтобы с ними справиться. Если стрессов в нашей жизни становится больше, чем может выдержать нервная система нормального человека (а при нашей-то жизни это не редкость), то нам грозит нервное истощение, а следом — неврастения. Если же мы не справились с этой напастью, то наше положение осложняется до крайности. В голову начинают лезть депрессивные мысли, и именно они сводят нас с ума уже окончательно. Это сумасшествие и называется депрессией. Так что перед нами не три разных состояния, а три последовательные ступени к самому тяжелому из них — к депрессии.

Вот почему так опасна усталость. Со стороны может показаться, что это — ерунда, плюнуть и забыть. Но человек, попавшийся в ее сети, так думать не может и не должен! **Если не предпринять всех необходимых мер для борьбы со своей хронической усталостью, она выльется в депрессию. И здесь-то борьба пойдет не на жизнь, а на смерть!** И если вы не хотите доводить, что называется, до греха, нужно быть во всеоружии и биться со своей усталостью неистово. Мы должны изгнать врага во что бы то ни стало, победить и никогда больше не подпускать к своим границам.

Поверьте моему врачебному опыту — проследить появление хронической усталости очень легко, прожить с ней с полгода-год также не составляет большого труда, но зато потом начинается настоящая свистопляска. И только тот человек, который по-настоящему заботится о качестве своей жизни, понимает, что усталость — это не легкая психологическая инфекция по типу банального насморка, а своеобразный психологический грипп, осложнения которого — страшная штука.

Впрочем, не хочу вас пугать. Перед вами книга, а в ней — все, что нужно, чтобы защитить себя и позаботиться о себе. Рекомендации, которые вы в ней найдете, опробованы сотнями пациентов, и эффект (при условии полного и правильного их выполнения) всегда отличный. То есть в самих этих рекомендациях я не сомневаюсь, единственное, что может стать серьезным препятствием к быстрой и безоговорочной капитуляции нашей хронической усталости — это наше же несерьезное к ней отношение. Иными словами, на кону гигантские ставки и праздного времяпрепровождения у нас не получится, но полезный и необычайно важный разговор будет обязательно. Вот, собственно, к нему и переходим...

> Я понял, что успех должен измеряться не столько положением, которого человек достиг в своей жизни, сколько теми препятствиями, которые ему пришлось преодолеть на пути к успеху.
>
> *Букер Т. Вашингтон*

Глава первая
ОТКУДА ПРИХОДИТ УСТАЛОСТЬ?

Все мы не раз в своей жизни слышали это выражение — «предельно допустимая норма», но что оно значит? Расскажу такую историю. В Древнем Риме жил философ, звали его Эпиктет. От рождения он был рабом. Однажды его хозяин, друг и приспешник императора Нерона — Эпафродит — стал за какую-то провинность выкручивать Эпиктету ногу. Эпиктет тихо лежал на земле, пока над ним проводилась эта экзекуция, и повторял: «Ты ее сломаешь». Через несколько мгновений это случилось — нога хрустнула и действительно сломалась. Эпиктет поднял голову, посмотрел на Эпафродита и сказал ему: «Ну я же предупреждал».

Иными словами, все имеет свою меру прочности, нога — одну, человеческие отношения — другую, а голова — третью. Причем наши головы чаще ломаются не снаружи, а изнутри. Если нагрузка на функцию нашего мозга оказывается избыточной, т. е. превышает меру его психической прочности, в нем происходит поломка. И вот, глядишь, мы уже не те, что раньше. Человек, сломавший ногу, чувствует боль, а человек, у которого произошла аналогичная поломка внутри головы, чувствует усталость (по крайней мере, он так это называет). Что он чувствует на самом деле, мы скажем чуть позже, а сейчас выясним свою предельно допустимую норму психической нагрузки, превышение которой и может вызвать неврастению.

Сколько я могу выдержать?

Иногда мы говорим себе: «Нет, этого я не выдержу!» То есть существует некий предел, за которым, как мы знаем по собственному опыту (или догадываемся об этом), может произойти нервный срыв. Причины у этого срыва могут быть самые разные — непонимание со стороны близких (супруга, родителей), трудности в отношениях с ребенком, конфликты с коллегами по работе, проблемы с начальством, финансовые сложности, большая загруженность (как дома, так и на работе). Короче говоря, причин может быть много и самых разнообразных, но все они резюмируются нами одинаково — «Это выше моих сил! Я этого не выдержу!».

Почему я на этом так подробно останавливаюсь? Дело вот в чем. Нам иногда кажется, что для возникновения усталости необходимы какие-то серьезные объективные причины или основания. Окружающие могут говорить нам: «А чего это ты, собственно, устал?! Ты ничего такого и не делаешь, чтобы устать! Вот мы — можем устать, а тебе-то с чего?!» Впрочем, что там близкие, мы иногда и сами думаем: «Господи, что же это со мной такое?! Вроде бы ничего *такого* и не делаю, а все равно чувствую себя разбитым!» И невдомек нам, что человек может

> Наши намерения подобны нашим желаниям: стоит их осуществить, стоит им сбыться, как они перестают быть похожи на себя, и нам кажется, что мы ничего не сделали, ничего не достигли.
>
> *Иоганн Вольфганг Гёте*

устать вовсе не от того, что он вагоны денно и нощно разгружает, а от того просто, что он думает. Да-да, не удивляйтесь, именно таким образом настоящую усталость и можно заработать!

В своей обычной жизни мы думаем и должны беспокоиться о множестве вещей. Большая часть наших стрессов, конечно, связана с близкими — мы за них переживаем, мы с ними ссоримся, за ними ухаживаем, мы иногда днями напролет только о них и думаем. Кроме близких, впрочем, нас постоянно держит на крючке работа, заработок и ведение хозяйства. Каждая из этих тем — отдельная история. На работе нагрузка — дело естественное: ответственность за выполнение прежних проектов, подготовка новых, планы, отчеты и т. д., не мне вам рассказывать. Ведение хозяйства, как известно, также может быть весьма «нагрузочной пробой». Вспомните хотя бы свой последний квартирный ремонт, и все сразу станет понятно.

Как я уже отметил, проблема головы (а в случае усталости проблема локализуется именно в голове и нигде больше) в том, что она имеет определенный предел нагрузки, свою, если так можно выразиться, пропускную способность. То есть если все нормально и количество информации, которую необходимо переработать нашему мозгу, оптимальное, то мозг легко с этим справляется. Если же количество наших психических актов превышает предельно допустимый уровень, то возникает риск своеобразного «перегорания».

Чтобы этого «перегорания» не произошло, наш мозг начинает защищаться и делает это старым проверенным образом — просто перестает работать, т. е. должным образом реагировать на предъявляемые к нему требования, проще говоря, устраивает саботаж. Недальновидный человек, оказавшись в такой ситуации, начинает себя подстегивать и скоро совершенно выбивается из сил, падая на бегу, словно загнанная лошадь. Человек дальновидный, напротив, должен в такой ситуации прислушаться к собственной усталости и немедленно уйти на, условно говоря, профилактический ремонт.

Впрочем, у нас всегда — «Дела! Дела!», мы не можем их бросить. Нам кажется, что стоит их только на секунду оставить, как случится что-то ужасное. Мы начинаем еще больше переживать (а это все траты наших нервных сил!), а следовательно, еще больше истощаться. В какой-то момент, впрочем, часто возникает иллюзия, что у нас открылось второе дыхание. Мы воодушевляемся, хотя радоваться на самом деле нечему. Потому что мы вошли в так называемую фазу «светлого промежутка», которая свидетельствует не об улучшении нашего состояния, а, напротив, об очень серьезном ухудшении.

Не думайте, что для усталости нужно что-то такое особенное, из ряда вон выходящее. Она вполне может накрыть нас на фоне обычной жизни, и для этого вполне достаточно просто *большого*

> Человек, знающий свои слабости, может попытаться обратить их себе на пользу, но такое удается нечасто.
>
> *Люк де Клапье Вовенарг*

количества маленьких дел, проблем и неприятностей. Попытки разрешить их приведут к растрате сил, и в какой-то момент мозг уведомит нас: «Вы перерасходовали свои резервы». Уведомление будет выслано в виде ощущения усталости. Теперь перед нами альтернатива: мы можем прислушаться к этому уведомлению и принять меры к самоспасению, а можем проигнорировать эти тревожные сигналы и двигаться дальше к состоянию полного банкротства. Дело, как говорится, за нами.

Впрочем, не будем забегать вперед, а изучим то, что я назвал здесь «большим количеством маленьких» дел, проблем и неприятностей. На повестке дня — информационная агрессия, изменение привычного стереотипа жизни и то, что психотерапевты называют «больным пунктом».

Железных людей не бывает, но даже если бы такие и встречались, то и у них был бы предел прочности. Мы способны выдержать определенные психические нагрузки, но это не значит, что наша психика станет терпеть *любые* перегрузки. И если бы мы относились к ней хотя бы с той же заботой, с которой мы относимся к своим домашним питомцам, то вряд ли бы оказались на крючке у хронической усталости. Однако, как выясняется, четвероногие живут у нас лучше двуногих.

Научный факт:
«А нервные клетки — против!»

Наш мозг — это орган тела, и, как любой орган тела, он состоит из клеток — нейронов. Каждая нервная клетка — это отдельный организм, у которого есть свой мозг (ядро клетки), тело и конечности (отростки), а главное — жизнь. И когда мы говорим об усталости, в каком-то смысле речь идет не об усталости вообще, а об усталости конкретных нервных клеток. Сейчас я попытаюсь объяснить это как можно проще (сам по себе это вопрос исключительной сложности).

Задача клетки — передавать (или не передавать) нервный импульс. Как это происходит? Все нейроны связаны друг с другом посредством нервных окончаний (отростков). Когда одна нервная клетка по тем или иным причинам возбуждается, в месте прикрепления ее отростка к другой нервной клетке появляются специальные вещества — нейромедиаторы (серотонин, ацетилхолин, ГАМК и др.).

Какое-то из этих веществ подходит к рецепторам соседней нервной клетки, как ключ к замку (именно поэтому нейромедиаторы бывают разными и вызывают возбуждение только каких-то конкретных нейронов, а не всего мозга сразу). Замок открывается, и из этой — соседней — нервной клетки через специальные каналы начинают вытекать ионы, что

Есть старая трагикомическая история о проповеднике из маленького американского городка, купившем, не зная того, лошадь, на которой много лет ездил пьяница. Этот Росинант, в результате сформированной у него привычки, заставлял своего преподобного хозяина останавливаться перед каждым кабаком и заходить туда хотя бы на минуту; в противном случае лошадь отказывалась двигаться с места. В результате преподобный приобрел дурную славу у прихожан и спился. Эта история всегда рассказывается только в шутку, но она может быть и буквально правдива.

Конрад Лоренц

изменяет ее электрический заряд, т. е. она также возбуждается. Дальше эта клетка начинает аналогичным образом активизировать другую, та, в свою очередь, третью, и так по мозгу бежит нервный импульс*.

В самом простом нашем нервном акте оказываются задействованы миллионы нервных клеток. Это происходит, когда вы идете, стоите, едите, спите, а в особенности — когда думаете, переживаете, осуществляете какое-то большое, серьезное и осмысленное действие. Для обеспечения всей этой нашей деятельности клеткам необходимо иметь в своем запасе достаточное количество нейромедиаторов и ионов. Но может случиться так, что их станет недостаточно.

И вот еще одна немаловажная деталь. Чем больше в нашем мозгу противоречивых тенденций (например, мы и хотим что-то сделать, и запрещаем себе, и боремся с этим запрещением), тем большая нагрузка ложится на наши нервные клетки, тем сложнее им договориться друг с другом, тем больше сил они тратят на эти «переговоры».

Работая, наши нервные клетки тратят свой заряд, а его ровно столько, сколько его есть — не больше и не меньше. И чем больше мы его тратим, тем труднее клетке работать — изменяется скорость реакции, возможность влиять на другие клетки, собственная работоспособность, возникают сбои, срывы, парадоксальные реакции; короче говоря, она становится слабым «игроком». Впрочем, кроме основного своего заряда, нейроны имеют еще, если так можно выразиться, и НЗ (неприкосновенный запас), но тратить его, мягко говоря, не рекомендуется.

---

* Тут, наверное, нужно добавить, что, кроме активизирующих клеток, в мозгу одновременно начинают работать еще и тормозящие клетки, которые корректируют это возбуждение. Так что все на самом деле куда сложнее, чем может показаться на первый взгляд, и самое, как иногда кажется, «простое» действие в ряде случаев оплачивается огромными тратами нервной ткани.

Этот НЗ необходим нашим нервным клеткам для последующей работы по восстановлению своих собственных истраченных сил. Представьте себе такую ситуацию — вы оголодали настолько, что в вас вообще не осталось никаких сил. Сможете ли вы после этого восстановиться? Сами — нет, потому что у вас уже нет сил ни на прием пищи, ни на ее переваривание, ведь это все работа! Так и с нервными клетками — напрягать их можно, но если вы зашли за условную красную линию, т. е. начинаете тратить НЗ своих нейронов, то это, мягко говоря, рискованно.

Поиздержавшись, наши клетки встают на подзарядку, заряжаются, а потом снова могут приниматься за дело. Но если мы истощили их ресурс до такой степени, что восстановление этого заряда становится для отдельно взятой клетки трудным делом, то и отдых не всегда оказывается целительным. С другой стороны, все это лишний раз убеждает нас в том, что нагрузка на нервную клетку должна быть в рамках ее возможностей и даже чуть меньше.

И, наконец, еще одна серьезная проблема связана с темпом подачи новых задач нашим нервным клеткам. После того как они потратили часть своего заряда, возбудились для решения какой-то конкретной задачи, им нужно время, чтобы прийти в себя. Нейромедиаторы должны вернуться в свои «гаражи», да и ионам, вышедшим из клетки во время ее поляризации, необходимо успеть забежать в нее по упомянутым каналам. Если же новый сигнал поступит в клетку прежде этого, то она уже просто не сможет обработать его адекватно. Возникнет сбой в системе, а потому и вся ее деятельность окажется под угрозой.

Так что нервные клетки — против психологических перегрузок!

От глобализации с приветом...

Не знаю, слышали вы об этом или нет, но я в любом случае вынужден об этом сказать. Главным стрессом для современного человека наука считает — что бы вы думали? Обычную информацию, т. е. то, чем мы сейчас все так гордимся — телевидение, прочие СМИ, мобильная связь, Internet. Все это, как оказывается, наши гробовщики и могильщики.

Количество информации, которое поступает каждому из нас в единицу времени, просто несопоставимо с теми информационными нагрузками, которые испытывали наши предки еще три-четыре поколения назад. И если большинство подданных Российской империи узнавали о смене своего царя-батюшки в лучшем случае через нескольких лет после восшествия на царствие очередного императора, то теперь посредством СМИ мы получаем каждодневную, ежеминутную информацию о смене всех и вся во всем мире!

Это, разумеется, только пример. Но вы задумайтесь, что могли рассказать вам ваши деревенские соседи каких-нибудь сто-двести лет назад, если они, в лучшем случае, два раза в год выезжали в уездную столицу на ярмарку? А теперь сопоставьте это с тем, сколько информации мы получаем каждый день от участников разнообразных ток-шоу, научных программ, новостей!.. Конечно, вся эта информация кажется нам незначительной, несущественной, но, как известно, с миру по нитке...

Странно ли, что теперь мы все чаще думаем о том, как бы сбежать «в деревню... в глушь, в Саратов» (точнее, под Саратов и как можно дальше)? Случается, что давление на нас информации оказывается столь сильным, что мы не можем без ужаса и внутреннего содрогания слышать очередной телефонный звонок! Один только его звук выводит нас из равновесия! Мы выключаем телевизор, потому что просто перестаем понимать, о чем там идет речь, отказываемся идти на какое-нибудь очередное представление, потому что нам кажется, что мы этого не вынесем.

Вспомните, как вы иногда часами бессмысленно переключаете каналы на вашем телевизионном пульте и не можете ни на чем остановиться. Вам кажется, что по телевизору не показывают ничего интересного? Это иллюзия. Просто ваш мозг настолько устал от информации, настолько ею перегружен, что теряет способность что-либо воспринимать — обдумать, прочувствовать, пережить, сделать выводы. Разумеется, все нам кажется скучным и неинтересным. А на самом деле просто больше некуда, не влезает в головушку — перегрузка.

Данное состояние ученые называют гиперстимуляцией. Современный человек стал жертвой избыточного количества

> Мудрый слишком хорошо знает свои слабости, чтобы допустить, что он непогрешим; а тот, кто много знает, осознает, как мало мы знаем.
>
> *Томас Джефферсон*

информации, которая обрушилась на него подобно снежной лавине. Причем подобным образом, как выяснилось, можно свести с ума даже собачьи мозги, не говоря уже о нашем чрезвычайно сложном, а потому и необыкновенно ранимом «инструменте».

Иван Петрович Павлов — гениальный русский ученый — сначала нагружал собак небольшим количеством интеллектуальной работы, и они замечательно справлялись с заданиями. При увеличении информации ситуация резко менялась: там, где нужна была реакция, — ничего; там, где ее не нужно было вовсе, она оказывалась огромной. Собака, иными словами, теряла всякую адекватность. В дальнейшем, при увеличении информационных нагрузок, животные и вовсе превращались в абсолютно невменяемые существа. И никакие попытки Ивана Петровича вернуть им здравомыслие эффекта не имели.

Ровно таким образом происходит и с человеком. Когда поступающей информации столько, сколько может переварить его психический аппарат, все нормально. Как только возникает избыток информации, начинается тревога. Причем там, где действительно требуется активность, человек оказывается бездеятелен; там, где никакой активности не требуется, он впадает в ажиотаж. На предельный переизбыток информации человек и во-

Относительно космического корабля по названию Земля следует указать на один исключительно важный факт: в комплекте к этому кораблю нет инструкции.

Ричард Бакминстер Фуллер

все реагирует полной пассивностью, апатией, безразличием, эмоциональной тупостью и т. п.

Лауреат Нобелевской премии Алвин Тоффлер — представитель достаточно странной профессии, он «историк будущего». И его прогнозы не отличаются особенным оптимизмом: человек, считает Тоффлер, будет пытаться найти спасение от информационной цивилизации, которую сам же и создал. Забраться в раковину, ни о чем не думать, никого не видеть и не слышать — вот мечта, которая определит поведение человека XXI века.

Мы привыкли восхищаться научными достижениями, новыми технологиями, новыми возможностями. Мы столько гнались за благами цивилизации, что позабыли о самых простых вещах. Мы даже не потрудились выяснить, какими окажутся последствия всех этих наших «достижений». Подобные ошибки непростительны. Человек потихонечку сходит с ума и, конечно, этого не замечает, но подобная слепота — только лишнее доказательство его безумия.

Не следует думать, что для нашей усталости нет объективных причин, они всегда есть и они объективны. Неврастения — результат перегрузки нашего мозга, его своеобразное «перегорание». Поскольку же у современного человека мозг и так перегружен из-за переизбытка информационных воздействий и самого темпа нашей жизни, то и самая маленькая неприятность способна переполнить эту чашу. Как это ни печально, у нас всегда есть шанс «сорваться», даже без пропасти. Вот почему мы просто не имеем права относиться к себе и своему душевному состоянию несерьезно.

Меняем тактику!

Впрочем, информация — это не единственный наш враг, обретающий вид благоверной овцы и ранящий нас исподтишка. Есть и еще один товарищ, который ведет себя точно таким же образом — изводит человека незаметно и часто под совершенно благовидными предлогами. Его имя — «динамический стереотип»*. Из-за этого психического механизма мы часто оказываемся в совершенно дурацком положении — в нашей жизни происходят позитивные изменения, а мы с каждым днем чувствуем себя все хуже и хуже, пока не оказываемся, наконец, совершенно невротизированными.

Вкратце ситуация выглядит следующим образом. Мозг человека, как и мозг любого другого животного, стремится к тому, чтобы автоматизировать каждое свое действие, т. е. превратить его в привычку. После того как такая привычка сформирована, она охраняется пси-

---

* Я уже рассказывал об этой нашей ахиллесовой пяте в книге «Как избавиться от тревоги, депрессии и раздражительности», и все желающие смогут найти там по этому поводу исчерпывающую информацию. Здесь же я только упомяну об этом феномене вкратце, поскольку знать, где тебя подстерегает опасность, всегда лучше, нежели не знать этого.

хикой, как священная корова. Что бы ни происходило, какие бы новые обстоятельства ни появлялись, мозг человека и животного пытается придерживаться прежнего, установленного однажды стереотипа поведения.

Проверенный на практике способ поведения и, по случаю, не приведший к летальному исходу, запоминается мозгом как «проходной вариант», как безопасная форма поведения. Сколь бы ни были хороши другие возможные варианты поведения в этой ситуации, они попадают под жесткий запрет. Стереотипное же поведение, напротив, дело понятное и знакомое, и потому милее оно сердцу нашему любых замков воздушных и журавлей непойманных!

Своя рубашка, знаете ли, к телу ближе, а потому что бы ни происходило, как бы ни менялась наша жизнь, ригидный и косный мозг (а в основании своем он именно такой — косный и ригидный) всеми своими фибрами пытается реализовывать прежние, проверенные однажды стереотипы поведения. Береженого, как говорится, бог бережет. И потому при любых жизненных переменах (вступлении в брак, разводе, переезде, трудоустройстве и т. п.) мозг человека пытается изо всех сил сохранить прежние свои повадки и привычки. Понятно, что это, мягко говоря, не всегда удается, и человек впадает в тревогу.

Поразительно, но инстинкту самосохранения абсолютно безразлично — благоприятно новое поведение и новые условия жизни или же они плохи. В любом случае он реагирует на них самым негативным образом. Для подтверждения этого факта над одной из собак ученые мужи произвели такой эксперимент. Сначала ее обучили определенным образом доставать подкормку из специального устройства. Здесь нужно заметить, что в качестве подкормки (вознаграждения за удачное выполнение задания) использовался сухарный порошок (вещь, как вы догадываетесь, съедобная, но отнюдь не деликатес).

Собака совершенно освоилась с этой задачей, выполняла ее быстро и успешно, но вот в очередной раз вместо сухарного порошка в это устройство положили не сухарный порошок, а кусок свежего мяса (вот уж поистине собачий деликатес!). Что же произошло? Собака, как и обычно, т. е. следуя своей привычке, подбежала к этому устройству и специальным образом открыла его крышку, но, не обнаружив там сухарного порошка, впала в ужасное беспокойство, отказалась от мяса (вы можете себе это представить!?) и вообще полностью лишилась способности справляться с этим заданием!

Мясо стократ лучше сухарного порошка, но если, согласно привычке, должен быть порошок, мясо уже не подходит, причем ни под каким соусом. Инстинкт самосохранения интересуется не последствиями поведения, а строгим и непременным выполнением всех пунктов, заложенных в программу данного стереотипа поведения. Вот почему простая привычка — это наиглавнейший форпост инстинкта самосохранения, предохраняющего нас от неизвестности и всего, что с ней может быть связано.

И надо сказать, что именно наш соотечественник — Иван Петрович Павлов — сформулировал основное интересующее нас здесь положение: при всяком нарушении привычного стереотипа поведения животное испытывает целый перечень негативных эмоций (и в первую очередь — страх и тревогу), а при возобновлении этого стереотипа, напротив, испытывает эмоции положительные (радость или удовлетворение). В нашей с вами жизни тому множество примеров.

Вспомните замечательное чувство тихой радости, когда вы возвращаетесь в когда-то дорогие вам места. Да, знаменитое и крайне приятное чувство милой ностальгии — результат возобновления прежнего стереотипа поведения, которое, разумеется, сопровождается положительными эмоциями. Или возьмем другой пример. **Всякий раз, когда наша жизнь совершает свой очередной крутой вираж, наша психическая организация переживает жесточайший стресс, возникает сильнейшее нервно-психическое напряжение, выражающееся, как правило, чувством смутной, а то и явной тревоги, способной привести к тяжелейшему нервному срыву.**

Психотерапевты постоянно сталкиваются с самыми, на первый взгляд, странными ситуациями. Человек, отработавший на севере двадцать лет, переезжает, наконец, в среднюю полосу. По идее, теперь только жить и радоваться, но эта идея, как часто бывает, кардинально расходится с реалиями жизни. Переселенец испытывает стресс, который может закончиться или инфарктом-инсультом, или банальной, как мы теперь понимаем, неврастенией. Впрочем, для запуска этого механизма вполне достаточно переехать с квартиры на квартиру, устроиться на новое место работы, просто получить повышение по службе! А что уж говорить, например, о переезде из «советского лагеря» в страну «недоразвитого капитализма»!

Да, это, быть может, покажется кому-то странным, но те изменения, которые произошли с нами за последние десять-пятнадцать лет, оказались одним из самых серьезных испытаний для нашей психики. А потому трудно себе представить россиянина, который бы не страдал в течение этого времени неврастенией, не говорил бы: «Я ужасно устал!» и не слышал бы в ответ: «А кому сейчас легко?!».

Мы все, в каком-то смысле, заложники своего психического аппарата. И неврастения настигает нас всякий раз, когда мы беспокоим устоявшуюся жизнь своего мозга какими-то нововведениями. Причина его не интересует, хорошо или плохо — ему наплевать; мозг сердится, входит в состояние выраженного воз-

буждения и «перегорает». А мы идем к доктору и получаем свой диагноз — «неврастения» или «синдром хронической усталости».

Хорошо в стране советской... что?!

Прошедшие 10—15 лет стали для россиян серьезнейшим испытанием. То, что нам довелось пережить, когда-нибудь историки сравнят с тяжелейшими социальными потрясениями — падением Римской империи, великими эпидемиями, мировыми войнами, американской великой депрессией и т. п. К счастью, впрочем, человек смотрит на свою жизнь не исторически, но сугубо практически, сиюминутно. Однако же из песни, как известно, слов не выкинешь...

Сам мир, в котором мы жили, изменился за эти несколько лет кардинально. Где наши былые ценности и идеологические представления, социальные и этические стандарты, где наша наивная вера в счастливое будущее? Нет их, днем с огнем не найти, теперь все по-другому. Все изменилось. То, что ранее представлялось дурным, теперь, напротив, возведено чуть ли не в культ. То, о чем ранее нельзя было даже говорить, теперь в изобилии наличествует в средствах массовой информации. Изменились даже те основополагающие принципы, которые позволяли нам определить самих себя; выражаясь научным языком, у нас произошел «кризис идентичности». Спроси у себя: кто ты, что ты, где ты, ради чего ты? И ответа не последует, хотя без этого ни поверить в себя, ни помочь самому себе невозможно.

В целом, большая часть произошедших трансформаций (хочется в это верить) к лучшему, но это — лучшее «на отдаленную перспективу», а сейчас — тяжелейший стресс, вызванный нарушением прежних стереотипов поведения. Новые же пока весьма и весьма умозрительны, они не стали еще плотью и кровью нашей психологии, а потому нет у нас опоры, нет определенности и уверенности. Весь наш мозг, вся наша психика, бывшая «крепко сбитой», теперь напоминает собой какой-то «замороженный долгострой» — остов здания, кажется, есть, но жить в нем нельзя, ну а если и можно — то плохо и тяжело.

Вообще говоря, с психотерапевтической точки зрения стрессы бывают трех видов. Первый — это когда тебе или твоим близким угрожает смертельная опасность (такие стрессы, к счастью, случаются относительно редко). Второй — это когда ты не можешь жить так, как тебе хочется. Разумеется, это стресс, и тут невроз человеку совершеннейшим образом гарантирован. А есть и третий — это когда ты не можешь жить так, как ты привык жить прежде. Кажется, что это совершенно невинная штука, ведь «человек ко всему привыкает». Мысль верная, но немногие дают себе труд осмыслить эту банальность и понять, чего это стоит нашему психическому аппарату — привыкнуть к новому. В действительности сила такого стресса часто не только сопоставима, но даже превышает все предыдущие.

Почему трудно переучиться писать другой рукой? На первый взгляд — делов-то! Нашему мозгу надо просто перенастроиться, сформировать новые рефлекторные пути, заставить психиче-

Если хочешь быть покоен, не принимай горя и неприятностей на свой счет, но всегда относи их на казенный.

Козьма Прутков

ское электричество бегать, условно говоря, не справа налево, а слева направо. Но эта перенастройка — величайшая нагрузка на психику, величайшая! Она сначала будет отчаянно сопротивляться этому нововведению, потом просто откажется что-либо делать и уж затем, если немыслимыми усилиями «додавить» несчастную, с горем пополам перейдет к новому образцу поведения. А тут нам за каких-то десять лет не просто механическое действие надо было изменить, а всю наисложнейшую организацию собственного мировоззрения! Так что стресс вышел огромный, хотя большинство нормальных людей его не заметило!

«Больной пункт»

Как вам нравится это выражение — «больной пункт»? Если бы я не знал, каким смыслом его наделяют в научных работах, то мне бы это сочетание показалось забавным. В самом деле, так физиологи называют то, что мы в своей обыденной жизни называем «личными проблемами». Итак, несколько слов о «больных пунктах» и о том, как они приводят нас к неврастении.

Представьте себе, пожалуйста, такие картинки. Женщина, прежде уверенная в своем браке, вдруг узнает, что ее муж ей изменяет... А другой женщине муж вроде бы не изменяет, но сексуальные отношения, которые для нее очень важны, отсутствуют уже больше полугода... Мужчина, ожидавший повышения по службе, засидевшийся уже на своем месте и недовольный своей зарплатой, узнает вдруг, что это повышение получил кто-то другой... У женщины сын в армии, и есть подозрение, что в скором времени его переведут поближе к Чечне; а у другой женщины сын стал наркоманом...

Кто-то узнает о том, что у него страшный диагноз, например, саркоидоз, прогнозы врачей неутешительны, а состояние заметно ухудшается... У другого человека тем временем заболел его пожилой родитель, пришлось взять его к себе, ухаживать за ним, а он сам не ходит, себя не обслуживает и еще всем недоволен, капризен... Еще один узнал, что на него завели уголовное дело, и он не уверен, что есть за что, впрочем, если учесть наличие недоброжелателей со связями, последнее и необязательно...

Следующий просто дал кому-то взаймы крупную сумму денег, а тот, его должник, не спешит расплачиваться, и более того, сменил телефон и куда-то уехал... Другой занял деньги и был уверен, что сможет быстро погасить свой долг, но дела пошли не так, как он ожидал, и о возврате этих средств он боится и думать...

А вот еще один...

Список можно продолжить, но это только перечисление фактов, а что происходит *внутри* человека, оказавшегося в подобной ситуации? Женщина, которая узнала об

> Мы на наших собаках при трудных задачах, т. е. при затребовании нового и трудного динамического стереотипа, не только имели дело с мучительным состоянием, но и производили нервные заболевания — неврозы, от которых потом приходилось лечить животных.
>
> *И. П. Павлов*

измене мужа, находится в состоянии шока, в какой-то момент ей начинает казаться, что земля просто ушла у нее из-под ног. Она пытается взять себя в руки, но ничего не получается. Все ее мысли только о том, где он, с кем, что делает, чем все это закончится, а главное, — как ей теперь жить. Она просчитывает каждую минуту его жизни — звонит на работу, исподволь задает наводящие вопросы, проверяет его звонки, электронную почту, связывается с его друзьями, иногда даже пытается следить. Параллельно она думает о детях, о том, что скажет родителям, о своем возрасте и о том, что ей теперь никто не поможет. С трудом она сдерживает слезы, боится поделиться случившимся хоть с кем-нибудь. Ей кажется, что жизнь кончилась, что в ней никогда больше не будет светлых дней. И все эти мысли одолевают ее сутки напролет, пропадает сон и аппетит, она мучается, но все же пытается держаться...

Мужчина ожидал повышения по службе, и давно. Зарплата его не устраивает, он уже даже думал уволиться, но было жалко пустить под хвост столько лет работы, да и куда он пойдет? Тут пришло счастливое известие, что его кандидатура рассматривается в качестве основной на более высокую должность в компании. Он уже представлял себе, что будет на этой должности делать, какие возможности ему откроются. Его уже заблаговременно поздравляли другие сотрудники фирмы и даже

> Спрашивать о причинах вещей — то же, что искать начало бесконечного.
>
> *Демокрит*

относиться к нему стали по-другому. И вдруг как снег на голову — известие, что должность ушла с молотка и совершенно другому человеку. Планы рушатся, он начинает ненавидеть руководство компании, презирать то, что делает, и то, что за это получает. Ему невыносимо видеть ехидные косые взгляды недоброжелателей и сочувствующие глаза своих прежних «болельщиков». Ему кажется, что он никто, что он ничего в своей жизни не добился, что все его усилия потрачены даром, что он не состоялся и теперь, возможно, уже никогда не состоится. И эти мысли одолевают его и днем и ночью, пропадает сон, он выпивает, чтобы забыться, мучается, но все же пытается держаться...

Такому же, а то и куда более подробному анализу можно подвергнуть и другие упомянутые личные проблемы. Все они полны боли, внутреннего напряжения, страха, ненависти и бесконечных дум. Впрочем, даже нельзя сказать, чтобы человек в таком состоянии думал, нет, он не думает — он «гоняет» мысли в голове. Но во всей ли голове? Вся ли голова в такой ситуации поражена этим недугом? И да, и нет.

«Пункт» (в географическом смысле и на физиологическом жаргоне) — та часть мозга, которая отвечает за данную, конкретную сферу жизни человека (семейную, профессиональную, интимную и т. д.). Возникшая проблема локализуется именно в этом

Умный человек утешает себя тем, что сознает неизбежность случившегося. Дурак утешается тем, что и с другими произошло то же, что и с ним.

Абуль-Фарадж

«пункте», который становится теперь «больным». Именно в нём, в данном конкретном участке мозга и локализуется болезненное напряжение, а уже с него оно передаётся дальше, к другим отделам, охватывая их, как разгорающийся пожар. Какие-то участки мозга начинают полыхать, какие-то застилает дым[*].

Кому-то, возможно, такой «больной пункт» и покажется маленьким, но он необыкновенно прожорлив, а поскольку вся наша нервная система — это единая сеть, то наличие такого мощного эпицентра неблагополучия в ней достаточно быстро сказывается на всех остальных сферах жизни человека. «Больной пункт» оттягивает на себя все силы, все средства и просто время. Так что на прочие интересы и нужды у человека ни того, ни другого, ни третьего просто не остаётся!

Соответственно, начинают возникать сложности. Человек просто перестаёт справляться со своими обычными нагрузками, его дела скапливаются, как гора немытой неделями посуды. Постепенно подступиться к решению этих маленьких проблем становится всё труднее и труднее. В отдельности, т. е. сами по себе, они, как кажется, и несерьёзны, но в нынешнем состоянии человека превращаются в нечто гигантское и невыполнимое.

---

[*] Об этой особенности работы нашего мозга я уже рассказывал в книге «Счастлив по собственному желанию», в главе «Уходя, закрывайте двери! (или о том, как завершать незаконченные ситуации)», там есть и все необходимые рекомендации по вопросам предупреждения подобных неприятных оказий.

И ведь обо всем этом нужно думать, а сил нет, и из-за этого человек начинает переживать еще больше. Тем временем усилия, которые он затрачивает на такое бессмысленное складирование своих мелких проблем, и вовсе подрывают его психический бюджет. Иными словами, львиную долю сил человека съедает его «больной пункт», но поскольку прочие задачи из-за этого не решаются, они накапливаются, их надо хранить, а это тоже затратно. Тут-то и возникает порочный круг, дальше дорога неврастении открыта...

Чаще всего неврастения начинает свой завоевательный поход с малого. Сначала психологическое напряжение захватывает какой-то небольшой участок мозга (проблема может быть и вовсе пустяковой!). Но постепенно напряжение «больного пункта» охватывает и другие участки мозга. Человек тем временем теряет способность быстро и качественно решать даже те жизненные задачи, которые прежде казались ему мелочевкой. Теперь они накапливаются, и каждая из них превращается в отдельную проблему. Силы расходуются все в большем и большем объеме, после чего и наступает срыв. Так, выражаясь научным языком, «больной пункт может сорвать работу всей нервной деятельности».

Научный факт:
«У меня на это семь причин!»

Догадываюсь, что неспециалисту трудно понять сложные перипетии наших психических процессов. Мы их не видим воочию, не держим в руках рычаги работы своего мозга, и к нему не приделаны веревочки, за которые можно было бы подергать и моментально получить некий планируемый эффект. Так что его работу нелегко вообразить, представить себе, осознать. Но, к сожалению, если мы хотим победить неврастению, другого пути у нас просто нет, в противном случае будет не лечение, а его имитация.

Конечно, одним только «больным пунктом», «сшибкой нервных процессов» и «срывом нервной системы» дело не ограничивается. Да, эти феномены лежат в основе неврастении, но существует еще и масса предрасполагающих факторов, отягощающих течение этого заболевания. И описать их куда легче, но все-таки не следует путать здесь основное со вспомогательным (если, конечно, таким словом можно назвать факторы, утяжеляющие наше состояние). Останавливаюсь на этом особо, потому что в аналогичных пособиях, посвященных «усталости», часто эти предрасполагающие факторы выдают за причину неврастении, а это не так.

Итак, повторюсь, несколько слов о предрасполагающих факторах, усиливающих и отягощающих течение неврастении. Во-первых, это — **нарушение ритмов сна и бодрствования**, а проще говоря, разнообразные нарушения сна. Сон — это отдых, во время

> Люди легче переносят несчастье уже случившееся, чем жестокую неуверенность в судьбе, когда каждое мгновение приносит величайшую радость или бесконечное страдание.
>
> *Оноре Бальзак*

сна нервные клетки восстанавливают свой заряд, а главное — все нервные процессы, освобожденные от других нагрузок, характерных для бодрствования, отстраиваются и упорядочиваются. Если этого по тем или иным причинам не происходит, нашей психике тяжелее держать удар обстоятельств. Поэтому недосыпание, прерывистый сон, постоянная смена режимов труда и отдыха (прежде всего, во время сменного графика работы), кошмарные сновидения и храп — все это факторы риска развития неврастении*.

Во-вторых, нельзя не упомянуть и **гормональные нарушения**. Гормоны регулируют деятельность внутренних органов нашего тела, а потому если здесь возникают какие-то проблемы, то начинаются сбои в работе организма. При этом от физического состояния организма зависит тонус, состояние нашего головного мозга. Если организм заболевает, то и мозг терпит убытки, а потому оказывается более уязвим для воздействия разных психотравмирующих агентов. Вот почему диабет, заболевания щитовидной железы, климакс — это факторы риска.

В-третьих, наши силы могут подорвать любые болезни — и **хронические заболевания**, и, в особенности, **инфекции**, включая разнообразные **вирусы**. Хроническая болезнь — это постоянный источник неблагополучия в организме, а потому он систематически нарушает его гармоничное функционирование. Если же хроническая болезнь, ко всему прочему, сопровождается нарушениями обмена веществ или болевым синдромом, то мы и вовсе оказываемся в зоне серьезного риска. Инфекция, со своей стороны, является истощающим фактором, она заставля-

---

* Обо всем этом я попытался рассказать в книге «Пособие для эгоиста», вышедшей в серии «Карманный психотерапевт».

ет наш организм «гореть», а потому «жжет» его резервы. Простуда и обычный герпес иногда способны так подорвать силы организма, что мозг человека теряет способность справляться и с минимальными нагрузками.

В-четвертых, это **нарушения в системе питания и авитаминоз**. Недостаток необходимых организму питательных веществ и витаминов — это серьезная проблема, которая заслуживает отдельного разговора.

В-пятых, организм может быть ослаблен некоторыми **лекарственными препаратами**, о действии и побочных эффектах которых всегда нужно интересоваться у лечащего врача.

В-шестых, определенный урон нашему потенциалу наносят **вредные привычки**, прежде всего злоупотребление алкоголем и табакокурение.

Впрочем, этот перечень можно продолжать почти до бесконечности. Конечно, об основных вещах нужно помнить и понимать, что чем больше в вашем арсенале факторов риска, тем больше вероятность, что вы окажетесь в плену у неврастении, и тем труднее вам будет с ней справляться. Но если вы знаете, что находитесь не в лучшей форме (только что перенесли инфекцию, не могли какое-то время обеспечить себе полноценного питания, врачи обнаружили у вас гормональный сбой и т. п.), то нужно просто быть более к себе бережным. Но не стоит думать, что вся проблема в воде, еде и гастрите, а мозг как будто и ни при чем. Устает *мозг*, заболевает неврастенией *мозг*, а потому он, и именно он, — альфа и омега нашей работы по борьбе с неврастенией.

Человеческому разуму присуще созидательное начало, и любая неразрешимая проблема для него мучительна.

Теодор Драйзер

Когда наступает неврастения?

Теперь мы можем подвести некоторые итоги и указать те пути, которые ведут нас к состоянию хронической усталости. Всего этих дорог три.

Вариант номер один. Чтобы сделать себе неврастению, нужно взять на себя массу самых разнообразных дел (обязанностей, работ и т. п.), не отдыхать, перенапрягать свой мозг избыточными нагрузками, а также обзавестись когортой большого числа незначительных на первый взгляд жизненных проблем, а также, для пущей верности, войти в череду неурядиц.

Наш мозг работает хорошо, если ему дают возможность «отработать» каждую проблему как следует, «с чувством, с толком, с расстановкой». Каждая задача требует сосредоточенности, и чем выше эта сосредоточенность, тем больше шансов решить ее быстро и качественно. Разумеется, легче собраться и бросить все силы на решение одной задачи, чем пытаться решать сразу несколько и без всякой гарантии на успех.

В том варианте развития неврастении, который мы сейчас рассматриваем, это золотое правило человеком игнорируется. Он думает, что поскольку находится в хорошей форме (а сначала у него именно такая — хорошая — форма), ему можно взять на себя большие нагрузки — надавать обещаний, включиться в несусветное количество дел и проектов, найти еще какую-нибудь дополнительную работу и т. д. Но это ошибка, не нужно переоценивать возможности своего мозга, поскольку они небезграничны.

Итак, мозг пытается делать десять дел сразу, и, разумеется, у него возникают накладки — где-то что-то недосмотрели, пропустили, не заметили, в другом месте — забыли, проигнорировали, понадеялись на авось, и вот результат... Большое количество маленьких сшибок в разных местах («пунктах») подрывает устойчивость системы в целом; мозг, прежде, образно выражаясь, стоявший на четырех лапах, теперь балансирует на трех, на двух, а то и вовсе — на одной. «Идет бычок, качается, вздыхает на ходу, ох, доска кончается, сейчас я упаду».

Все это вместе взятое вызывает в человеке чувство тревоги, общую напряженность, он пытается работать лучше, все контролировать, за всем уследить, везде успеть. Но если это ему не удается (а это и в лучшие времена не получалось), то начинаются уже более серьезные срывы в работе мозга. Человек начинает переживать, что вполне естественно, но именно эти переживания и подрывают последние основы стабильности работы его психического аппарата. Мозг как система жизнеобеспечения сначала работает на пределе своих возможностей, а

> Природе человека свойственна такая стойкость и приспособляемость, что она преодолевает все, воздействующее на нее извне и изнутри; когда же ассимиляция ей не удается, она по крайней мере вырабатывает в себе безразличие.
>
> *Иоганн Вольфганг Гёте*

потом начинает сыпаться, словно карточный домик. Сбои идут один за одним, и... Здравствуй, неврастения!

Вариант номер два. Неврастения гарантирована нам и в том случае, когда мы, сами того не подозревая, начинаем репрессии в отношении собственных психологических реакций. Если у человека возникают проблемы и «больные пункты», он может собраться и выдвинуться в наступление, а может долгое время пытаться себя сдерживать, подавлять свои эмоции, т. е. проще говоря, держать лицо или марку. И это чревато!

Наш мозг любит не только все делать последовательно, переходя от проблемы к проблеме чинно и не торопясь, ему важно еще и доводить любое начатое дело до логического конца. Он специалист по «полным циклам»*. И поэтому если в нас возникает раздражение, а мы не находим для него выхода, не даем раздражению вырваться наружу в виде вспышки агрессии, наш мозг переживает тяжелую травму.

Сдерживать свои эмоции, подавлять их — небезопасно для здоровья. И это касается не только негативных, но и позитивных эмоций. Любящий человек, не имеющий возможность проявить свою любовь, не находящий взаимности, оказывается ровно в таком же положе-

---

* Кто-то из моих читателей, вероятно, уже узнал в «больном пункте» «патологическую доминанту». Для получения более подробных объяснений описываемого здесь феномена мне придется снова сослаться на книгу «Как избавиться от тревоги, депрессии и раздражительности», вышедшую в серии «Карманный психотерапевт».

нии (в физиологическом смысле), что и человек, сдерживающий свое раздражение. Возбуждение возникло, а выхода для себя не нашло, и вот бегает теперь, словно шаровая молния, по нервным путям, вызывая в них то сбои в работе мозга, то эффект короткого замыкания, то нервную судорогу. И ведь это все работа — удерживать в себе свои чувства! Трата сил производится немыслимая!

Возникнет ли на этом фоне истощение? Разумеется. Энергия, так и не вышедшая наружу, ведет себя подобно захватчику-мародеру — что не унесу, то хотя бы попорчу. К сожалению, все это происходит автоматически и никак не контролируется сознанием. Сознание только заталкивает проблему глубоко внутрь, а что происходит там, внутри, иногда даже не знает. Разумеется, подобные ситуации могут быть решены и иначе, без выхода в неврастению, но, к сожалению, об этом человек задумывается, как правило, лишь после случившегося.

Вариант номер три. Третий вариант развития неврастении, а проще говоря, третий способ довести себя до состояния полной некондиции — это встать перед проблемой выбора. Наш мозг, как мы уже выяснили, любит все делать последовательно и доводить начатое до конца, но, кроме прочего, ему весьма любезна определенность. Отсутствие же определенности мозг воспринимает как величайшее бедствие.

> Человек не верит другим людям, но, трепеща за свое благоденствие и свою жизнь, делает все, чтобы подладиться к ним.
>
> *Марк Твен*

Вот представьте себе, мозг решает какую-то задачу, ему нужно принять решение и начать уже, наконец, двигаться в каком-то направлении, а он не может, потому что не знает, какое решение ему принять. Наша жизнь, как известно, это система сдерживаний и противовесов*, не все получается так, как хочется, чтобы оно получалось, а у всякого нашего поступка всегда есть и положительные, и отрицательные стороны. То есть что бы мы ни делали, оно пройдет не без последствий. Вопрос — каких? И если ответ на этот вопрос не очевиден, то возникает ситуация неопределенности, и мозг, двигающийся, как обычно, на полном ходу, вынужден резко затормозить.

Последствия этого торможения для него весьма и весьма травматичны. Ведь энергия — это сила, она, как известно, может менять направленность или качество, но она не исчезает, когда в ней нет необходимости. Особенных каких-то подушек безопасности в мозгу не предусмотрено, и вот мы ударяемся о неопределенность; вся конструкция мозга испытывает в этот момент чудовищную деформацию, подобную той, которую переживает автотранспорт при столкновении с другим автотранспортом лоб в лоб.

Напряжение расходится по всей нашей психической организации, нарушает работу других зон мозга, возникают многочисленные сбои и неполадки, а потому если такая неопределен-

---

* Заинтересованный читатель может найти подробное описание этой проблемы в моей книге «Средство от бессонницы», вышедшей в серии «Экспресс-консультация».

ность — «ни да, ни нет» — продлится чуть больше нужного, можно вызывать скорую психотерапевтическую помощь, без психотерапевта уже не обойтись. В конечном счете, не так важно, где именно произошла авария — на автостраде или в мозгу, она всегда авария, а потому есть пострадавшие. Диагноз здесь, впрочем, тот же, что и в двух первых вариантах — неврастения.

Наш мозг — существо хорошее и работящее, однако капризное. У него есть набор вполне естественных требований. Во-первых, он любит все делать последовательно, не торопясь: сначала одно, потом — другое. Во-вторых, он имеет склонность все доводить до конца, а незавершенные дела его напрягают; поэтому если напряжение в нем возникло, нужно его куда-то деть. В-третьих, он во всем жаждет определенности — или «Да!», или «Нет!», поскольку в этом случае он знает, что делать, и не топчется на месте (что для него смерти подобно). И как только мы нарушаем хотя бы одно из требований нашего мозга, в нем начинаются сбои, которые и приводят нас прямой дорогой к неврастении.

Впрочем, нам нужно еще понять, как именно происходят эти психические травмы, приводящие нас в столь плачевное состояние. Итак, на нас наступает неврастения, а мы изучаем ее наступательную тактику. Только если мы знаем, каковы ее планы — «Барбароссы» и «Бури в пустыне» — мы можем найти возможности для собственного контрнаступления. Враг у нас, как мы уже могли убедиться, товарищ серьезный и шутить не любит. Нарушили законы работы мозга — получите, распишитесь.

Случай из психотерапевтической практики: «И все на свете есть у меня!»

Неврастения, как мы уже с вами знаем, может развиваться по трем самостоятельным сценариям. Первый — это большие интеллектуальные нагрузки и серьезная загруженность различными делами, на что часто попадаются люди, отличающиеся исключительной ответственностью. Второй — это длительное подавление собственных чувств, нежелание или невозможность их проявить, что создает внутреннее напряжение и способно извести насмерть здорового. Третий — это необходимость принять решение и чувство неопределенности, столь характерное для человека, который не знает, какой его выбор будет правильным.

Но в отдельных случаях все эти три варианта сходятся, как назло, во времени и пространстве. Иными словами, иногда нам так «везет», что мы оказываемся и ужасно загруженными, и под пятой собственных невыраженных, погребенных внутри себя чувств, и, наконец, в ситуации выбора, но при обстоятельствах полной неопределенности. Вот именно о таком случае из своей психотерапевтической практики я и хочу сейчас рассказать.

Веронике было на момент нашей встречи 35 лет.

Неудача действует на психику. Это как те ямки-ловушки, что выкапывает в песке муравьиный лев. Скользишь и скользишь вниз, и нужно большое усилие, чтобы выбраться. Но раз выбравшись, вы почувствуете, что успех тоже действует на психику.

Джон Стейнбек

Пятнадцать из них она прожила в браке с мужчиной, который по-своему, наверное, любил ее, но очень по-своему. Его жизненные интересы были ограничены пивом, футболом и тем небольшим бизнесом «купи-продай», которым он занимался. Вероника же, будучи человеком тонким, очень чувственным и нуждающимся в постоянном самосовершенствовании, переносила это с трудом.

Когда ее инженерное образование, полученное еще в советские годы, оказалось никому не нужным, она пошла учиться — получать второе. Совмещая воспитание ребенка с образованием и работой по дому, она смогла стать высококлассным специалистом по работе с персоналом. Теперь, в новом профессиональном качестве, она была востребована и работала с удовольствием.

С мужем, с которым в свое время они закончили один институт, их интересы чем дальше, тем больше расходились. У них теперь были разные представления о жизни, разные взгляды на воспитание ребенка — мальчика-подростка. Вероника пыталась воспитывать его как ответственного человека, понимающего, что в жизни всего нужно добиваться самому, а для этого необходимо хорошее образование и большой труд. Муж Вероники, напротив, считал, что учение ни к чему, что успех в современной жизни гарантирован тому, кто может быстро «перекрутиться» и жить в свое удовольствие.

Впрочем, в этой семье не было бурных конфликтов и выяснения отношений, просто однажды Вероника поняла, что они с мужем разные люди и непреодолимо далеки друг от друга. В этот момент Вероника и повстречала Николая — человека, который поразил ее своей цельностью, серьезностью, талантом (Николай был по профессии социологом, доктором наук и востребованным политтехнологом).

Она влюбилась в него, и сначала ей казалось, что это чувство взаимно. Ничто не предвещало проблем, их отношения складывались на редкость просто и гармонично.

После года таких отношений Вероника ушла от своего мужа и стала жить вместе с Николаем. Конечно, это далось ей нелегко, она беспокоилась, что это не лучшее решение для ее сына, но желание вырваться из того болота, в котором она оказалась, победило. Николай был для Вероники «мужчиной-мечтой». Он был старше ее на семь лет, относился к женщине бережно, но без сюсюканья, и ей это нравилось. Впрочем, отношения Николая с сыном Вероники сразу не сложились. Новый «папа» был строг, а парень не желал с этим мириться. Он протестовал, и скоро Вероника стала раздумывать над тем, что ради счастья сына она должна вернуться к своему мужу.

Какое-то время, впрочем, эти сложности носили скрытый характер, до выраженного противостояния не доходило. Кроме того, сын Вероники стал все чаще и чаще уходить жить к отцу, так что, по крайней мере, внешне этот конфликт сгладился. Но вся эта ситуация в целом вызывала у Вероники чувство неловкости, временами ей казалось, что она плохая мать, что она не может внушить сыну, который точь-в-точь повторял поведение отца, важные с ее точки зрения вещи и уладить противоречия, возникающие между ним и Николаем.

Николай поддерживал в Веронике стремление к профессиональному росту, убедил ее в необходимости написания кандидатской диссертации по управлению персоналом. И вот уже Вероника начала писать диссертацию, работала на ответственной должности, с горем пополам занималась воспитанием сына,

Решение одной проблемы, как правило, приводит к возникновению многих других.

Э. А. Севрус

52

несла на себе все работы по дому и пыталась создать для Николая максимально комфортные условия. Тем временем конфликт между сыном и Николаем, который, кстати сказать, так и не предложил Веронике вступить в законный брак, разрастался. Росло и общее напряжение.

Постепенно Вероника стала чувствовать себя кругом виноватой. Николай обвинял ее в том, что она не может воздействовать на своего сына, что он разрушает их отношения. Бывший муж также не оставлял ее в покое, «стрелял из засады» и настраивал ребенка против нее. Сын начал понимать, что может манипулировать матерью, и стал откровенно ее шантажировать: «Я так не буду жить! Почему мне нельзя играть в компьютер?! Я нормально учусь, у нас все так учатся! Я уйду к папе жить!» В папином же обществе мальчик совершенно переставал заниматься, прогуливал школу, оказывался совершенно безнадзорным и пропадал бог знает где.

Ко всему прочему Николай, отчасти из-за «специфики работы», стал алкоголизироваться — банкеты, фуршеты, деловые встречи... Напиваясь, он совершенно менялся — становился грубым, агрессивным и жестоким. Это очень пугало Веронику, и того Николая, который все чаще и чаще появлялся на пороге их квартиры мертвецки пьяным, она боялась. Николая, кажется, этот ее страх только распалял, он начинал требовать от Вероники полного подчинения, угрожал расставанием, мог не прийти домой ночевать, даже не предупредив об этом. Все это, повторюсь, проходило на фоне сначала защиты Вероникой диссертации, потом все возрастающих нагрузок на работе, помощи Николаю в его исследовательских и иных профессиональных проектах...

Вся эта история на момент появления Вероники у меня на приеме длилась уже около пяти лет. В каком была состоянии эта еще молодая и красивая женщина? Думаю, нетрудно догадаться. А о диагнозе, вероятно, и вовсе нечего говорить, звучит он просто — хорошая, махровая, я бы даже сказал, неврастения. Вероника потеряла аппетит, у нее нарушился сон, возникали приступы тревоги, сменявшиеся состоянием отчаяния. Она все чаще и чаще раздражалась, но постоянно себя сдерживала. Возникли трудности с концентрацией внимания, работоспособность снизилась: «Сижу на совещании, — рассказывала Вероника, — и ловлю себя на том, что не понимаю самых простых вещей. Теряюсь, смотрю на происходящее словно бы со стороны. И думаю — зачем я тут сижу? О чем они говорят?»

Вот такая, в сущности, рядовая история. Впрочем, если мы приглядимся к ней повнимательнее, то заметим, что тут сработали сразу три механизма, способных и по отдельности привести человека на больничную койку. Вероника переживала серьезные интеллектуальные нагрузки — новое образование и принципиально новая работа, кандидатская диссертация, помощь мужчине в его исследованиях и т. д. Кроме того, она не могла не думать о своем прежнем муже, который незримо продолжал присутствовать в ее жизни, а также о причинах, которые привели к тому, что Николай так изменился. Иными словами, первый вариант развития неврастении был здесь почти что предначертан судьбой.

Как несчастны люди! Беспрестанно колеблются они между ложными надеждами и нелепыми страхами и, вместо того, чтобы опираться на разум, придумывают себе чудовищ, которых сами же боятся, или призраков, которые их обольщают.

Шарль Луи Монтескье

Кроме того, Вероника несказанно переживала из-за своего сына, из-за того, что не может его воспитать должным образом, что он пытается подражать отцу, который занял в этом смысле самую неконструктивную позицию: «Когда тебя ругает мама, плюнь на нее, приходи ко мне, делай что хочешь, живи в свое удовольствие!» С другой стороны, Вероника понимала, что отношения Николая к ее сыну также нельзя считать конструктивными, а борьба, которая завязалась между двумя мужчинами, не могла пойти на пользу ни тому, ни другому.

Веронике, с одной стороны, приходилось постоянно сдерживаться. Она не могла проявить свои материнские чувства по отношению к сыну без риска попасть в немилость и вызвать на себя шквал обвинений со стороны Николая. С другой стороны, она не могла сказать Николаю, что используемые им «воспитательные стратегии» в отношении ее сына неприемлемы. Это внутреннее несогласие с Николаем росло в Веронике день ото дня, но как было о нем сказать, если малейший намек на иную точку зрения по этому вопросу оборачивался загулами Николая, его пьянством, а то и открытой агрессией? Все это пугало Веронику и заставляло ее сдерживаться, создавая у нее внутри маленький, локальный такой холокост. Иными словами, неврастения могла развиться у Вероники и по второму варианту.

Впрочем, и третий вариант развития неврастении был здесь налицо. Веронике нужно было принять решение, понять — возвращаться ей к прежнему мужу или оставаться с Николаем, но без сына, или же вовсе уйти куда-то в третье место. Что было бы в такой ситуации правильным? На любой из этих поступков надо было решиться, а сил уже не было.

Вот такая иллюстрация... И очень хочется знать, можно ли из такой ямы выбраться. Но не будем забегать вперед, скажу лишь, что выбраться можно и более того, это необходимо сделать. Правда, для этого нужно сначала правильно расставить приоритеты. На момент обращения ко мне Вероники главной ее проблемой был уже не сын, и не Николай, и не работа, и не прежний муж, а ее неврастения.

Поскольку в том психическом состоянии, в котором она оказалась после всех этих перипетий, сделать что-либо было уже невозможно, мы начали с лечения неврастении. Когда же Вероника встала на ноги с психологической точки зрения, она приняла то решение, которое должна была принять — она нашла в себе силы строить свою жизнь заново. И теперь, по прошествии уже трех лет, можно с уверенностью утверждать, что принятое тогда решение было правильным. Она смогла наладить контакт со своим ребенком, а потом жизнь подарила ей встречу с другим человеком, который помог ей обрести ее женское счастье.

И на колебания надо решиться.

Станислав Ежи Лец

Глава вторая
НАСТУПАТЕЛЬНАЯ
ТАКТИКА УСТАЛОСТИ

Усталость — или хроническая усталость, или переутомление, или неврастения (это кому как будет угодно) — наступает на человека исподволь, незаметно и, как говорится, по всей линии фронта. Чем позже мы заметим ее воинственный натиск, тем труднее нам будет выдворять ее со своей территории. Усталость истощает силы, которые нужны человеку и для того, чтобы не испытывать усталости, и для того, чтобы бороться с ней. Поэтому каждая пядь отданной нами территории в действительности не одна, а две: одна — та, что у нас отнята усталостью, вторая — та, которую мы отдали. Вот такая сложная арифметика!

В целом, у этой войны три этапа: первый — это наступление усталости, второй — это наша перед ней капитуляция, и третий — иго, просто иго. Понимание этих этапов — это вовсе не голая теория, как кому-то, может быть, покажется. Наше контрнаступление идет в том же самом порядке, только от конца: одни действия мы выполняем для того, чтобы сбросить иго усталости, другие отменяют нашу капитуляцию и третьи — обеспечивают нам полную и безоговорочную победу над ней. И если мы здесь что-то перепутаем, то ничего не получится. Поэтому знать эти этапы; уметь отличать их друг от друга нам жизненно необходимо. Этим сейчас и займемся.

Свели с ума животное!

Может ли собака думать? Большинство собаководов-любителей в этом уверены, несмотря на категорические протесты Ивана Петровича Павлова. Я, с вашего позволения, займу срединную позицию. Конечно, все поведение собаки можно разложить на набор условных рефлексов, а также на очень сложную систему безусловных реакций, в числе которых любовь к своему хозяину, готовность налаживать с ним всемерный психологический контакт и т. д. Но что такое условные рефлексы, как не мысли, хотя бы и очень простые? Именно мысли! И если заставить животное думать больше, чем оно может, да еще создать в его мозгу «больной пункт», то неврастения у него разовьется не хуже нашей.

Академик И. П. Павлов был человеком хорошим и собак, вопреки досужим мнениям, любил необычайно — целовался с ними и всячески пытался улучшить условия их жизни в своей лаборатории. А когда в Петрограде случилось необычайное наводнение, и животные находились в смертельной опасности, то он, как и Петр I, рискуя жизнью, бросился на помощь своим питомцам. К счастью, все тогда обошлось. Но речь не об этом, несмотря на все свои трогательные чувства к братьям нашим меньшим, Иван

Собака так предана человеку, что даже не веришь в то, что человек заслуживает такой любви.

Илья Ильф

Петрович был верен своему долгу ученого, а тот заставлял его ставить над животными эксперименты. В частности — эксперименты по созданию у них «экспериментальных неврозов», а совсем в частности — неврастении.

Ну как свести собаку с ума? В обыденной жизни нам, конечно, и в голову такой вопрос не придет, но если нужно создать экспериментальную модель человеческой неврастении, об этом приходится думать. Впрочем, ответ достаточно прост — обеспечьте собаке срыв ее нервной деятельности, и будет вам неврастения. Для организации этого срыва понадобится совсем чуть-чуть смекалки. Если собака думает условными рефлексами, а нам нужно, чтобы вся ее нервная система полетела в тартарары, то надо заставить ее сбиться в своих мыслях, т. е. добиться сшибки этих условных рефлексов.

Приведу для примера классический эксперимент павловской лаборатории с кругом и эллипсом. Собаку устанавливают в специальный экспериментальный станок так, чтобы она видела перед собой обычный экран для диапроекторов. На этот экран отбрасывается лучом света круг, а после этого следует положительное пищевое подкрепление, т. е. дают собачке перекусить. Спустя какое-то время повторяют процедуру несколько раз. У собаки устанавливается условная связь — если на экране свет, значит, сейчас будут кормить. Потом на экран отбрасы-

Чем больше людей принимают участие в вашей судьбе, тем выше вероятность, что вам от нее не уйти.

Э. А. Севрус

вают не круг, а эллипс. Сначала собака активизируется, у нее начинает выделяться слюна, но в этом случае положительного пищевого подкрепления за эллипсом не следует. Дальше начинается чередование — на экране появляются то круг, то эллипс, в случае круга собаку кормят, в случае эллипса — нет. В скором времени собака начинает потихоньку разбираться в геометрии — круг ее радует, эллипс оставляет равнодушной; круг вызывает пищевую реакцию (выделение слюны), эллипс — не вызывает.

И все пока хорошо, нормальная интеллектуальная деятельность, очень похожая на нашу с вами жизнь. Какой-то человек нас с вами поддерживает и одобряет, а потому у нас по отношению к нему рефлекторно возникает положительная эмоциональная реакция. И мы думаем, что он человек хороший, что на него можно положиться, что с ним приятно общаться, иметь дело и т. п. Другой субъект, напротив, относится к нам нейтрально или недоброжелательно, и мы, соответственно, к нему так же относимся — без особых эмоций. Что мы о нем думаем? Да ничего особенного, или что он не в себе, или нехороший человек, в общем, что-то да думаем. Напомню, что примерно так или почти так собака Ивана Петровича реагирует на круг — в одном случае и на эллипс — в другом.

Далее переходим к созданию неврастении

> Люди никогда не получают того, к чему стремятся. Если же им и выпадает счастье, это будет что-то совсем иное, не то, о чем они помышляли, и не то, чего хотели.
>
> *Натаниэль Готорн*

— Павлов начинает экзаменовать собаку на предмет ее знаний в геометрии. Он начинает последовательно изменять эллипс, делая его все более и более похожим на круг, т. е. проще говоря, он его закругляет. Сначала собака приходит в некоторое возбуждение — ей непонятно, что это стало на экране происходить. Круг как был кругом, так им и остается, а вот эллипс начинает меняться, превращаясь постепенно в круг. И чем меньше становится отличие между кругом и эллипсом, тем собаке становится труднее отличить одно от другого. Все больше сил ей нужно тратить на то, чтобы выработать правильный ответ.

Если перевести эту историю на человеческий язык, то ситуация выглядит примерно таким образом. Я знаю, что кто-то относится ко мне хорошо («круг»), но вот этот человек становится все более и более холодным, жестоким, ранит меня, говорит обидные слова... И я уже не знаю, как на это реагировать. Напрягаюсь, думаю, как теперь быть? Что случилось? За что это мне? Одновременно с этим другой человек, который прежде относился ко мне недружелюбно («эллипс»), вдруг начинает ласти́ться, проявлять разнообразные знаки внимания, демонстрировать уважение. Что делать? С чем связаны эти перемены? Может, он что-то задумал недоброе? А может быть, напротив, проникся ко мне? В общем, я напрягаюсь, напрягается и собака со своей геометрией.

Светят ей на экран, показывают бог знает что, а она понять не может — что ей делать? Выделять слюну или не выделять? Радоваться этому световому пятну или нет? Будут ее, в конце концов, кормить или не будут? И когда отличие между кругом и эллипсом оказывается сведенным к минимуму, собака сходит с ума. Она демонстрирует возбуждение, рвется со своего места, отказывается от пищи, кусает экспериментатора, отказывается идти в помещение, где проводится эксперимент. Короче говоря, демонстрирует все признаки махровой усталости — ничего не знаю, ничего не могу, ничего не хочу, оставьте меня в покое!

Шарик, не спать!

Если продолжать этот эксперимент и дальше, причем еще более его усложнять с помощью других интеллектуальных нагрузок (т. е. созданием дополнительных сшибок условных рефлексов животного), то сумасшествие нашей собаки на этом не остановится, а будет только прогрессировать. Мы же будем иметь возможность наблюдать последовательно три фазы неврастении.

Первая фаза, которую И. П. Павлов назвал «уравнительной», характеризуется тем, что животное теряет способность различать интенсивность действующих на него

> Тело — это великий предатель души.
>
> *Виктор Каннинг*

63

раздражителей. Ему становится неважно — значительный это для него раздражитель или слабый, серьезный или несерьезный, оно реагирует на них одинаково буйно: возбуждается, негодует, входит в раж и отказывается демонстрировать обычное свое поведение.

Вторая фаза, которую И. П. Павлов назвал «парадоксальной», действительно характеризуется парадоксальными реакциями животного. Когда ему предлагается сильный раздражитель, например, доставляют какое-то шибко неприятное ощущение, оно реагирует на него вяло, пассивно. Когда же выдается какой-то слабый раздражитель, например ни к чему не обязывающий звук или же животное просто поглаживают, оно словно бы с цепи срывается — буйствует, нервно сучит лапами, скулит и т. п.

Третья фаза, которую И. П. Павлов назвал «ультрапарадоксальной», в целом очень напоминает первую — уравнительную. Только если в случае уравнительной фазы животное возбуждается и приходит в состояние невменяемости от любого раздражителя вне зависимости от его серьезности, то здесь, в ультрапарадоксальной фазе, животному уже на все, как кажется, одинаково наплевать. Оно лежит, ухом не ведет, словно бы не слышит ничего, не видит, а главное — не желает ни видеть, ни слышать. И если это случилось, значит — все, клиент спекся...

> Такова жизнь: один вертится между шипами и не колется; другой тщательно следит, куда ставить ноги, и все же натыкается на шипы посреди лучшей дороги и возвращается домой, ободранный до потери сознания.
>
> *Дени Дидро*

Самое во всем этом примечательное — это то, что никаких сверхъестественных нагрузок животному и не предлагается. Ну круг показали, ну эллипс, то так позвонили, то иначе, то почесали за ухом, то погладили лапу — ничего особенного! А какой эффект? Спросите, почему? Потому что все эти круги, эллипсы, звонки, гудки, лампочки и поглаживания с почесываниями стали условными сигналами, они связаны в голове этого животного *с жизненно важной функцией* — с питанием. Это для него не просто геометрические фигуры, не просто звуки или тактильные ощущения, а *сигналы*, т. е. знаки, которые характеризуют внешнюю ситуацию, по ним животное ориентируется, по ним определяет свое поведение. Если же они — эти ориентиры, эти сигналы — начинают его подводить и путать, собака, говоря простым языком, сходит с ума.

Вот и он — наш загадочный «больной пункт». Не любой «пункт» нашего мозга может заболеть. Не любая ситуация, не любая сфера нашей жизни может стать точкой отсчета нашего нервного срыва и последующего невроза. Не любая, а только та, с которой у нас связаны какие-то значимые личные интересы и потребности. Именно то, к чему мы привязаны, является нашим слабым звеном, именно наши желания, сталкивающиеся с невозможностью своей реализации, и сводят нас с ума.

> Несчастье делает человека легко ранимым, а непрерывное страдание мешает ему быть справедливым.
>
> *Стефан Цвейг*

Мы не будем думать о тех вещах, которые нам безразличны, но есть и такие темы, о которых мы готовы думать сутками напролет, истощая при этом и свои силы, и свой мозг. Причем можно с уверенностью утверждать, что за каждой такой темой скрывается нечто, для нас жизненно важное. И именно из-за этой важности в нашем мозгу возникает напряжение. Мы боремся с обстоятельствами, не можем принять ситуацию такой, какая она есть, переживаем, пытаемся ее изменить, противостоять своей напасти и выстоять свое желание.

Если разваливается чужой брак — это не приведет нас к нервному срыву, но если под угрозой оказывается наше личное семейное счастье — это вполне достаточный повод для легкого помутнения рассудка. Впрочем, если в случае с разводом нас еще могут понять окружающие, то при более личных, более интимных проблемах (которые для нас — «проблемы», а для окружающих — «ерунда»), причина нашего нервного срыва вряд ли будет ими понята. Мы будем ждать от окружающих поддержки и понимания, но скорее всего, тщетно*. И если не помочь в такой ситуации себе самому, то результат будет плачевным.

---

* Этот во всех смыслах тяжелый вопрос мы уже обсуждали в книгах «Самые дорогие иллюзии» и «Пособие для эгоиста», вышедших в серии «Карманный психотерапевт».

«Больным пунктом» не может стать та часть нашей жизни, которая совершенно нас не волнует, им всегда оказывается что-то, играющее значительную, а то и ключевую роль. Отношения в семье, с детьми, наше положение на работе, финансовое состояние и т. п. — все это очень значимые для человека вещи. И если мы начинаем понимать, что в какой-то из этих сфер у нас, мягко говоря, не все в порядке, мы, разумеется, начинаем переживать и нервничать. Дальше, если ситуация не улучшится или если мы не предпримем каких-то мер, чтобы не допустить собственного нервного срыва, нас последовательно ожидают три фазы неврастении.

СИМПТОМЫ ДРУЖНОЮ ГУРЬБОЙ...

От опыта с собаками и экспериментальной модели неврастении мы медленно, но верно переходим к своим собственным ситуациям и симптомам. Что бы ни стало нашим «больным пунктом», развитие неврастении всегда проходит три описанные фазы — уравнительную, парадоксальную и ультрапарадоксальную. Теперь очень важно уяснить для себя симптомы болезни, чтобы вовремя заметить ее у себя и предпринять меры, которые необходимы именно для данного

> Чем меньше мы уверены в себе, чем меньше мы соприкасаемся сами с собой и миром, тем больше мы хотим контролировать.
>
> *Фредерик Пёрлз*

конкретного этапа. Помните — не лечение хорошо, но хорошо *правильное* лечение, а это возможно только в том случае, если вы понимаете, на каком этапе болезни находитесь.

Все начинается с банальной усталости. Нам начинает казаться, что мы стали больше уставать. На этот момент у нас уже, конечно, есть наш «больной пункт». Проще говоря, мы из-за чего-то достаточно сильно переживаем, а кроме того, у нас еще масса других, как говорят политики, «озабоченностей». Из-за суеты, из-за большого числа маленьких проблем мы часто не можем выделить главную. Она то выходит на первый план, то снова утопает в череде других сует. Но, несмотря на это, в ней-то и сокрыт источник всех наших будущих несчастий, которые неизменно последуют, не возьмись мы вовремя за голову.

Упомянутые несчастья придут в следующей последовательности — сначала перебои, потом сбои, потом отключение. Все это можно сравнить с электроэнергетикой: в первой фазе неврастении у человека мозг мигает, словно бы начались перебои с подачей энергии; во второй фазе наступает периодическое веерное отключение света; в третьей все просто — «Тушите свет!».

Человек никогда не бывает так несчастен, как ему кажется, или так счастлив, как ему хочется.

Франсуа Ларошфуко

Первая фаза

**В первой фазе неврастении — уравни-
тельной — мы чувствуем себя измотанными.**
В нашей жизни нет определенности, нет стабильности, нам необходимо осуществить какой-то выбор, принять какое-то решение, а какое — мы
пока не знаем. Это мучит, мы переживаем, наши
нервные клетки истощаются, возникают первые
сбои в работе нервной системы. Сначала, конечно, они незаметны, мы как-то компенсируемся,
но дальше — хуже, и в какой-то момент мы,
что бы ни случилось, начинаем реагировать на
это эмоциональным взрывом.

Человек, находящийся на первой ступени, ве-
дущей на дно неврастении, превращается в бом-
бу с дистанционным управлением. Допустим, у
женщины «больной пункт» — проблемы на работе. То ли козни против нее кто-то завел, то
ли начальник регулярно намекает на что-то, что
ее совсем не интересует, то ли появился недо-
брожелатель, который ее подсиживает, — неважно, главное, что началась какая-то непри-
ятная неопределенность.

Сначала она сдерживалась, а теперь ей уже
и не сдержаться — она то накричит на кого-
нибудь, то расплачется, сочувствуя герою какого-нибудь новостного репортажа, то посмот-
рит на свой отчет и кажется ей, что это глупость и надо с работы уходить немедленно, то
вдруг какое-нибудь вдохновение найдет (на пару

часов), а потом — бац, и охватывает ее ощущение, что все пусто, все бессмысленно.

И все это скоротечно, мимолетно, картинка эмоционального состояния быстро меняется. Так что главный симптом здесь — в этом раздрае. Она словно собака на сене — и то ей не так, и это не этак. Тревога, раздражение, отчаяние сплетаются постепенно в некую единую аморфную массу, которая тянет, душит, но еще не воспринимается как нечто серьезное.

Подобная иллюзия возникает из-за того, что еще встречаются эпизоды кажущегося прилива сил. Периодами человек входит в состояние возбуждения — «дела горят», «работа спорится». В такие моменты (они не бывают долгими) он может думать, например: «А, черт с ними со всеми! Прорвемся! Мы еще и не такое видали! Нас так просто не возьмешь!» Долго такое воодушевление не длится, человек сталкивается с какими-нибудь трудностями и мгновенно теряет свой запал. Возбуждение переходит в раздражение, а раздражение в слабость и пассивность.

Все это, разумеется, связано с состоянием мозга и нервной ткани. Человек уже истощен, хотя какой-то потенциал у него еще есть. Впрочем, его уже не хватает, трудно отделить главное от второстепенного, существенное от несущественного, а главное — мозг не способен сделать это по заказу, когда нужно. Вовремя на серьезную проблему отреагировать не удается, а когда силы все-таки как-то в мозгу концентрируются, он и «выстреливает». Причем выстрел этот приходится на что придется — все из пушки да по воробьям. И редко случается так, что он соразмерен тому поводу, по которому человек в таком состоянии «выстреливает».

Главные симптомы неврастении, которые можно выделить на этом — первом — этапе: повышенная раздражительность (или раздраженность, если человек привык себя во что бы то ни стало сдерживать) и неспособность отделить важное от второстепенного. Любая мелочь, какой-то пустяк, который прежде бы прошел незамеченным, вызывает выраженное напряжение, которое способно вылиться в раздражение, вспышку гнева, иногда проявляется скандалом или сценой, истерикой на ровном месте.

Вторая фаза

Во второй фазе неврастении — парадоксальной — мы чувствуем себя несчастными. Как вы, наверное, помните, парадокс этой фазы болезни состоит в следующем: на серьезные проблемы мы уже не реагируем, но постоянно срываемся на мелочах и из-за мелочей. Кому-то, может быть, это и покажется странным, но для физиолога вряд ли. Мозг уже находится в состоянии истощения, и на то, чтобы «обслужить» большую проблему, у него уже просто нет сил. Мозгу эту проблему, если так можно выразиться, уже не переварить, а потому он жадно хватает «мелкую рыбешку». Иными словами, серьезные вопросы кажутся человеку, находящемуся в этой стадии усталости, или бессмысленными, или неподъемными. Так или иначе, но он их игнорирует. Мелочи, напротив, способны выбить его из седла.

Как это выглядит? Представьте себе женщину, у которой не складывается личная жизнь. Она из-за этого долго переживала, пыталась что-то предпринять, каким-то образом наладить все-таки отношения со своим возлюбленным, но тот ответного жеста доброй воли не сделал. Она знает, что он встречается и с другими женщинами, к ней приходит, когда посчитает нужным, врет в глаза, что не изменяет. При этом их собственные сексуальные отношения превратились в воспоминание — стали редки и выцвели. Впрочем, любовь нашей героини не исчезает, но и не находит себе места.

Разумеется, у нее еще работа, связанная с массой встреч, контрактами, договорами и т. п., а еще десятилетняя дочь от первого брака — постоянная забота, пожилая мать с букетом болезней, которая тоже доставляет немало хлопот. Что в жизни главное, а что — второстепенное, нашей героине уже давно непонятно. Короче говоря, «все нормально» (обычная для таких случаев формулировка приличных людей, которая должна трактоваться примерно следующим образом: «Сил нет, все

> Бездеятельность иногда приводит к катастрофической безрезультатности.
>
> *Станислав Ежи Лец*

осточертело, помер бы, да нет возможности»). Впрочем, она и сама себе говорит: «Все хорошо, надо держаться»; говорит, но собственным словам не верит.

Этап всеобщей раздражительности уже прошел, а еще пару месяцев назад она несколько раз сильно вспылила без всякого повода на работе, накричала на дочь, сказала маме, что больше не может ее слушаться и сделает все, как считает нужным. Теперь состояние подавленное — женщина вымоталась и чувствует себя несчастной. Это такое специфическое чувство несчастья — это не мука горестная, а такая тупая боль, к которой привыкаешь и снова не чувствуешь.

Проблемы, возникшие последнее время на работе, перестали ее волновать, раньше она старалась о них не помышлять, а теперь не может о них думать. Свои функциональные обязанности выполняет автоматически — не вникая в вопросы, не разбираясь в деталях, «как получится». Временами она чего-то совсем не понимает, но в этом случае просто старается обойти проблему. Если обойти не удается, то она соглашается с тем, что ей говорят: «Говорят — значит, знают. А не знают... Ну и бог с ними».

Иными словами, серьезные вещи не кажутся ей серьезными. Они словно бы в какой-то дымке, в каком-то тумане, не вызывают ни эмоционального отклика, ни должной настойчивости. И даже когда маму пришлось экстренно госпитализировать, сердце у нее не дрогнуло — просто пошла, отвезла, договорилась. Все.

И вот она идет на работу. Дождь, но это не слишком ее волнует, правда, она сердится, что тротуары не убирают, что асфальт положили плохо, а потому идти по нему тяжело — лужи разлились от края и до края. Тупое раздражение бессильно вырваться наружу, оно бурлит внутри и ничего больше. Но вдруг — бац! — ломается каблук. Она смотрит на свою туфлю и понимает — все, дальше идти нельзя...

Этот сломанный каблук — в сущности, рядовое событие, неприятность, конечно, но совсем не катастрофа — вдруг кажется женщине мерилом всей ее жизни. Может быть, она и не думает об этом *так*, т. е. в ее сознании нет в этот момент никакой философии. Но зато по ее ощущению в этом сломанном каблуке, словно в капле воды, отразилась вся ее жизнь. Слезы душат, она начинает плакать, а затем просто рыдать — прямо здесь, посреди улицы, и неудержимо.

Парадоксальная фаза! В каблуке, дорогие мои, равно как и в потерянном или украденном кошельке со ста рублями, в появлении новой морщины, в двойке, которую принес ребенок, даже в грубом слове, которое вырвалось у мужа, или в претензии, прозвучавшей из уст жены, — нет и не может быть ничего трагического, непоправимого, ужасного. Это не катастрофа! Это — мелочь! Ерунда! Каблуки чинятся, потерянные кошельки покупаются, морщины — тоже решаемый вопрос, двойка в дневнике ребенка — не конец света, а в горячности семейного конфликта можно все что угодно сморозить. Короче говоря, вещи неприятные, но, право, абсолютно не заслуживающие слез, чувства отчаяния и ощущения — «жизнь кончилась». Впрочем, именно на этих мелочах человек, оказавшийся на второй стадии своей неврастении, и прокалывается, демонстрирует, так сказать, *признак*. А если есть признаки болезни, значит, есть и болезнь, которую надо лечить, но об этом чуть позже.

Если же мы рассматриваем вопрос с физиологической точки зрения, то здесь картина выглядит следующим образом: мозг человека истощен чрезмерными нагрузками (эти нагрузки — масса скопившихся дел и просто переживания, ничего больше!), нервные клетки не успевают восстановиться за время предоставляемого им отдыха (например, сна, тем более что сон к этому времени, как правило, уже нарушен* — в мозгу кипение, как тут заснешь?), а потому большие дела просто проходят мимо незамеченными, а маленькие проблемы воспринимаются как катастрофа.

Мозг теряет свою былую форму — сбои в его работе приводят к неупорядоченности, какой-то странной, необъяснимой, на первый взгляд, сбивчивости. Он уже не защищает человека от посторонних и лишних раздражителей, как это происходит в норме, напротив, он именно их

---

* О том, какие нарушения сна случаются в таких случаях и что с ними делать, я рассказал в книжке «Средство от бессонницы», вышедшей в серии «Экспресс-консультация».

теперь и замечает; а вот на серьезные вещи мозг уже способен сподобиться. Поэтому человек в такой ситуации может, например, сильно раздражаться, когда, как ему кажется, кто-то сильно шумит, а вот на известие о серьезном увеличении нагрузок по работе он уже не откликается.

Главные симптомы неврастении, которые можно выделить на этом — втором — этапе: это своего рода небрежность в отношении многих серьезных дел и проблем (мы решаем их абы как, не вникаем в суть дела, перекладываем ответственность на других и вообще плохо понимаем, что от нас самих требуется); **с другой стороны, это странные, спонтанные, избыточные, очень эмоциональные реакции на самые, казалось бы, незначительные негативные события.**

Третья фаза

В третьей фазе неврастении — ультрапарадоксальной — мы чувствуем себя абсолютно выжатыми. Мы, впрочем, часто чувствуем себя выжатыми, но это вовсе не значит, что каждый раз в таком случае мы имеем дело с последней и самой тяжелой стадией развития неврастении. Нет, конечно. Здесь ощущение выжатости весьма специфическое, это не просто «выжатый лимон», это еще и «лопнувший шарик», а также «перегоревшая лампочка». Надеюсь, что эти сравнения как-то прояснят суть дела.

Человек, страдающий неврастенией в ее крайней форме, дошедший до ультрапарадоксальной ее фазы, представляет собой не человека уже, а предмет. Он не ходит, он переставляет себя с места на место. Когда его о чем-то спрашивают, он не думает, он делает вид, что участвует в разговоре. В его голове, как кажется, уже ничего не происходит — некий вакуум. Ему трудно удержать мысль, трудно понять, что творится вокруг, он находится в своеобразной прострации. Забывчивость, рассеянность, тугодумие — вот характеристики этой ситуации.

И это не простая забывчивость, не простая рассеянность, какая иногда случается, например, у талантливых субъектов, бесконечно погруженных в свое творчество. Здесь места творчеству и подобной погруженности нет. Человек страдает от невыносимой тяжести, у него ощущение, словно бы его придавила какая-то огромная, необъятная сила. Впрочем, эта тяжесть тоже бывает двух видов: иногда она лежит на душе — и тогда перед нами уже не неврастения, а депрессия, в случае же неврастении — это просто «тяжесть», она локализуется в голове. Данное объяснение, вероятно, трудно вообразить, но тот, кого это должно интересовать, я уверен, поймет. Самоощущение себя в депрессии и в неврастении отличается: в депрессии главный лейтмотив — обреченность, в неврастении — остановка, поломка, паралич.

Человеку в ультрапарадоксальной фазе неврастении трудно, невыносимо трудно соображать, на что-то откликаться. Ее специфика — в состоянии пассивности, вялости. Человек словно бы заснул и спит с открытыми глазами. Что бы ни происходило вокруг, он не способен на это среагировать. Внутри него, кажется, еще живет какая-то жизнь, но так медленно, так скупо, что и назвать-то это жизнью как-то язык не поворачивается.

Дальше, впрочем, возможен исход в депрессию. Неврастения и депрессия, чего мы коснемся особо, разные заболевания. Не скажу, что какое-то из них лучше, а какое-то хуже, но если неврастения переходит в депрессию — это действительно проблема, а потому доводить до нее крайне нежелательно. Впрочем, для того, чтобы депрессия вошла в правообладание человеком, необходимо, чтобы он (этот человек), во-первых, испытывал серьезную тревогу, сильное внутреннее напряжение, а во-вторых, поддался депрессивным мыслям о том, что «все плохо», что «будущего нет», что «жизнь не стоит того, чтобы жить» и т. п.

К счастью, в неврастении депрессивные мысли поражают не всех, а потому выход из нее оказывается проще, чем в случае присоединения депрессии. Но, конечно, заставить себя найти такой выход непросто. И дело даже не в том, что он где-то слишком усердно запрятан (как мы узнаем в дальнейшем, это не так), но и для его поиска, и для его использования необходимы силы, а вот с силами у человека в такой ситуации проблемы.

Главные симптомы неврастении, которые можно выделить на этом — третьем — этапе: это общая пассивность, ощущение какой-то необъяснимой тяжести (все приходится делать через силу), выраженной слабости и отсутствие способности реагировать на происходящее. Кажется, что даже если сейчас небо упадет на землю, это не произведет на человека, находящегося в подобном состоянии, никакого эффекта. Он так и останется сидеть в своем «невозмутимом спокойствии», хотя, конечно, о спокойствии тут говорить трудно, тут скорее следует говорить о «перегорании».

В гостях у сказки... Здрасьте!

Сказка, как известно, ложь, да в ней — намек. И надо вам сказать, что на неврастению — на ее причины и опасность — сказки намекают с надрывным постоянством! Вспомните хотя бы пушкинскую сказку о «Спящей царевне и семи богатырях». Это ведь классическая история про неврастению. Девушка росла и расцветала, а когда зеркальце-правдолюб сообщило правящей красавице, что где-то подрастает соперница, та решила ее погубить. Ситуация классическая — одна женщина изводит другую (родственные связи и возраст не имеют принципиального значения), становясь ее «больным пунктом».

Кажется, что ничего трагического не происходит, и девушка стоически переживает выпавшие на ее долю невзгоды, но, право, положение ее незавидно — она мучается, переживает и закономерно приходит к летаргии, ко сну, который проводит в хрустальном гробу. У нее на этом этапе уже ультрапарадоксальная фаза неврастении — ничто не способно вернуть ее к жизни, кроме чуда. В сказке, разумеется, психотерапевты отсутствуют, и именно поэтому их роль выполняет чудесный поцелуй.

Впрочем, эта история даже не так показательна, как сказка про Аленушку. Родители ее умерли, оставив сиротой с малолетним братом на руках — и это «больной пункт»; молодой человек ее запропастился — «больной пункт»; а в довершении всего брат заболел — козленочком стал, что также несомненно «больной пункт». В принципе, достаточно было бы и одного «больного пункта», но для сказки, конечно, маловато будет.

Последующее описание — это лучшая из возможных иллюстраций ультрапарадоксальной фазы неврастении, когда кажется человеку, что он выпал из жизни и смотрит на нее теперь сквозь какое-то мутное стекло. Ничто не способно его растрогать, ничего ему не хочется, ничего он не может — у него апатия. Аленушка сидит у тихого болотного озерца, бессильная, измученная, лишенная возможности сопротивляться ударам судьбы. После всех пережитых неприятностей она практически сама, как подкошенная, падает в какой-то момент в ручей и лежит там, глядя на мир сквозь воду.

И эта толща воды, это ее давление, равно как и крышка хрустального гроба, есть та самая тяжесть, о которой мы с вами говорили, описывая состояния человека, находящегося в третьей фазе неврастении. Иногда такие пациенты рассказывают, что они словно бы сделаны из пластилина, двигаются с трудом, будто идут по дну водоема. Вот такие сказки...

Страдает душа — страдает тело

Надеюсь, что типичные симптомы неврастении уже вполне ясны моему читателю. Во-первых, это чувство усталости, которое проявляется главным образом после умственной работы. Часто оно сопровождается чувством общей слабости и сильнейшими головными болями. Во второй группе симптомов — невозможность сосредоточить внимание, ощущение ухудшения памяти. Некоторые пациенты выглядят растерянными, говорят, что чувствуют себя поглупевшими, «тупицами», ничего не соображают, не могут справиться с обычными делами. Третья группа — это раздражение и вспышки гнева, которые часто направлены на самого себя. Четвертый признак неврастении — нарушения сна, из-за которых наутро человек не чувствует себя отдохнувшим, вместо отдыха у него ощущение разбитости и тяжесть в голове.

Но есть и еще один симптом, который никак нельзя сбрасывать со счетов. Впрочем, сначала обратимся к пресловутой статистике. Она сообщает следующее — от 34 до 57% посетителей поликлиник нуждаются не в терапевтическом, а психотерапевтическом лечении. То есть практически каждый второй человек, приходящий на прием к участковому врачу, обращается не по адресу (если, конечно, в этой поликлинике по счастливой случайности не оказалось психотерапевта).

Странное дело! Как можно перепутать? Зачем идти к терапевту, когда у тебя «с головой не в порядке»? Оказывается, можно, да и еще как! Дело в том, что неврастения может предстать в образе любого другого телесного недуга: сердечного, желудочного, легочного и какого угодно еще!

Болит у человека живот или, например, сердце из груди выпрыгивает, и он без задней мысли направляется к терапевту. Тот его обследует, ничего толком не находит, назначает какое-то символическое лечение (чем-то же надо поспособствовать!) и отпускает пациента с богом да на все четыре стороны. Дело сделано, эффекта — никакого. Можно, конечно, на врачей сетовать, но лучше мы разберемся, в чем суть да дело.

Наш мозг воспринимает как те сигналы, которые приходят к нему из внешнего мира (для этого у него есть зрительные нервы, слуховые, тактильные и т. д.), так и те, которые идут от организма (специальные нервы идут как к нашим органам, так и от них). Мы с вами уже знаем, что когда наш мозг поддается натиску усталости, в его работе происходят самые разнообразные сбои. И если прежде он защищал нас от всех «лишних» раздражителей, держал удар, так сказать, то теперь его естественная защита ослаблена. Он перестает понимать, на что ему нужно реагировать, а на что — нет, и реагирует потому на все подряд, и в особенности на то, на что ему совсем не нужно реагировать.

В парадоксальной фазе неврастении слабые сигналы вызывают в нашем мозгу даже большее возбуждение, нежели сильные раздражители. Именно потому эта фаза и называется «парадоксальной». И теперь вопрос на засыпку: какова интенсивность сигналов, идущих от внутренних органов нашего тела — от сердца, печени, желудка, кишечника и т. п.? В нормальном состоянии мы свои внутренние органы не чувствуем, и именно потому, что здоровый мозг отсекает эту информацию, хотя она в него и приходит. А вот мозг, пораженный неврастенией, реагирует иначе. Для него эти «маленькие» раздражители становятся очень существенными!

Человек, страдающий неврастенией, может жаловаться на то, что кругом «очень шумно», что «свет очень яркий», что прикосновения к его телу стали «очень неприятными». С чем это связано? Небольшие раздражители воспринимаются здесь как огромные. То же самое случается и с нашим телом: человек начинает чувствовать свое сердце, свой желудок, свой кишечник. Ему кажется, что сердце стало как-то громче стучать, желудок — тянуть и ныть, кишечник — давить и напрягаться и т. д. Маленькие раздражители воспринимаются им как большие.

А теперь представим себе, что этот человек не знает, что у него неврастения, не знает, что в таком состоянии мозг переоценивает значимость слабых

Для человека твердого духом, который всегда хранит мужество, единоборствуя с сильнейшим гнетом обстоятельств, — для такого человека почти не существуют безвыходного положения.

Люк де Клапье Вовенарг

раздражителей и игнорирует сильные. Что такой человек будет думать о состоянии своего здоровья? Вот он не чувствовал своего сердца, а теперь стал чувствовать, не ощущал своего желудка, а теперь ощущает, не знал даже, с какой стороны у него печень находится, а теперь она давит и колет. Разумеется, он начинает предполагать у себя какое-то телесное заболевание!

Вот с этими жалобами он и обращается к терапевту. А терапевт, конечно, ничем ему помочь не может, ведь никакой телесной болезни у человека, страдающего неврастенией, нет, он просто стал чувствовать свой организм, чего человек, находящийся в хорошей психологической форме, не ощущает, хотя и испытывает. Отсутствие эффекта от такого «лечения», наряду с усилением «симптомов недомогания», приводит человека к мысли, что со здоровьем у него действительно беда.

Как результат — еще один «больной пункт», еще одна проблема, а это в таком состоянии, самая настоящая последняя капля. Концентрация на физическом недомогании формирует своеобразную настроенность на болезнь, что получило в медицине название «ипохондрии». Окружающим может казаться, что человек специально ищет у себя разнообразные болезни, сегодня у него болит одно, завтра — другое, послезавтра — третье. Так что вот уже и поддержки у него нет со стороны близких, нет помощи

Тело часто гораздо проницательнее духа, и человек часто гораздо правильнее мыслит спиной и желудком, чем головой.

Генрих Гейне

от врачей, а потому остается куковать — один на один со своею болезнью.

Человек постоянно ощущает свой организм, прислушивается к нему, различает самые тонкие нюансы его работы — сегодня колет в левом подреберье, завтра — бурление в животе и нет стула (что, впрочем, и понятно, если учесть снижение аппетита и общее ухудшение работы кишечника), послезавтра — болит спина, ломит суставы, выкручивает шею. Короче говоря, одно ощущение сменяет другое, а потому мысли о болезни начинают человека преследовать неотступно.

Патологическая фиксация на своих недомоганиях, этот, как его называют, «уход в болезнь» — это один из симптомов неврастении. В финале, на момент наступления ультрапарадоксальной фазы неврастении, у такого человека может сформироваться убежденность в том, что все его несчастья связаны с этой «болезнью», которую врачи найти не могут и которая, видимо, «неизлечима». Формирование психологического состояния обреченности, к сожалению, как нельзя лучше соответствует состоянию человека, находящегося в точке кульминации своей неврастении. Так что одно здесь толкает другое, и все под гору.

Идея «болезни» иногда окончательно и бесповоротно, как последний вбитый гвоздь, довершает картину усталости, и в этом случае бороться с ней уже необыкновенно сложно, ведь ипохондрия — это еще одно дополнительное психическое расстройство, так что вместо одного врага у человека теперь их два. И что делать?.. Начинать нужно с лечения неврастении, к которому мы, собственно, сейчас и переходим.

Глава третья
ПСИХОТЕРАПИЯ УСТАЛОСТИ

Теперь, когда мы уже знаем, что это за зверь — усталость, можно переходить к ее лечению. Сразу оговорюсь, что технология излечения, представленная в этой книге, далеко не единственная, но зато универсальная. Ничего сложного в этих заданиях нет, но выполнять их нужно строго согласно предписаниям, в противном случае эффекта не будет. Мы вынуждены идти на хитрости, иначе с неврастенией не совладать. Она истощила наш мозг, наши силы на исходе, а поэтому нам потребуется смекалка и находчивость. Впрочем, не будем забегать вперед, выполняйте задания шаг за шагом, и искомая цель будет достигнута.

Прежде всего мы изучим обязательные условия терапии, без их выполнения на победу не рассчитывайте — ее не будет. Сколь бы они ни казалось трудными, странными, сомнительными, — это нужно сделать. Когда сделаете, убедитесь, что ничего трудного, а тем более странного или сомнительного, в них нет. Я в меру моих сил попытаюсь пояснить каждый пункт максимально подробно, но на самом деле тут все понятно, как божий день, и не будь у нас неврастении, мы бы согласились с каждым из пунктов без малейших препирательств.

Во второй части главы мы изучим с вами те приемы, которые следует использовать в зависимости от степени и тяжести неврастении. Иными словами, это

> Отойдите в ситуацию, которая поддержит вас, а потом возвращайтесь с этой вновь обретенной силой к реальности.
>
> *Фредерик Пёрлз*

будут психотерапевтические техники для каждой из фаз неврастении — ультрапарадоксальной, парадоксальной и уравнительной.

ТРИ ОБЯЗАТЕЛЬНЫХ УСЛОВИЯ

Каждая из фаз неврастении требует специальных техник и особого подхода. Я не знаю, на какой стадии неврастении вы находитесь (если она у вас есть), и не могу знать, когда вы заметите, что вы находитесь в неврастении, если она случится у вас позже (не дай бог, конечно). Однако сейчас мы будем обсуждать «обязательные условия терапии», т. е. те действия, которые необходимо предпринять для лечения неврастении вне зависимости от того, как именно вы себя чувствуете и что у вас приключилось. Коротко эти три обязательных условия звучат следующим образом: «тревожная кнопка», «выход из игры» и «снятие требований».

«Тревожная кнопка»

Прежде всего, если вы задумали совладать со своей усталостью, заведите себе специальную «тревожную кнопку», ту кнопку, на которую вы сразу же нажмете, впервые заметив у себя симптомы неврастении. К сожалению, впервые замеченные симптомы неврастении — это, как правило, далеко не первые ее симптомы. Но чем раньше мы их заметим, тем лучше. И первое, что мы должны будем сделать — это, как ни странно, начать бить тревогу! Подобная рекомендация кажется нелепой, особенно когда звучит из уст психотерапевта, но никакой другой рекомендации здесь нет и быть не может.

Если мы начали сваливаться в неврастению, то об этом нужно себе сообщить и сделать это в максимально категорической форме: «Стоп! У меня возникли серьезные проблемы! До тех пока они не решатся, все остальное не имеет никакого значения!» Если вы чувствуете перегрузки, напряжение, какую-то ненормальную суетливость, беспокойство; если вы понимаете, что стали хуже соображать, что у вас ухудшается память и усиливается раздражительность — это уже достаточный повод для беспокойства, ведь у вас первая фаза неврастении, осталось еще два шага, и вы в дамках.

Теперь представим себе другую ситуацию. Вы стали раздражаться из-за мелочей, вас все напрягает, малейшая неприятность воспринимается вами как выраженный дискомфорт; вы срываетесь на близких, перестаете реагировать на серьезные перемены в своей жизни (думаете о них: «Ну и ладно, ну и пусть, наплевать, все равно ничего не сделать»), не можете дослушать до конца то, что вам говорят, теряете и нить рассуждений, и способность делать те простые вещи, которые раньше решались вами с легкостью и даже удовольствием, то бить

Гений состоит в умении отличать трудное от невозможного.

Наполеон Бонапарт

тревогу просто необходимо. Поскольку это настойчиво стучится в дверь уже вторая фаза неврастении.

Если вы продвинулись еще дальше в развитии своей неврастении, то рано или поздно наступает критическая точка. Ею может быть, в принципе, любой серьезный срыв из-за какой-то мелочи. Например, вы вдруг расплакались на ровном месте из-за полной ерунды (вспоминаете историю про сломанный каблук?). И если такая ерунда, мелочь показалась вам в эту секунду «моментом истины», если вы подумали: «Все, кончено! У меня больше нет сил. Я сдаюсь. Я самый несчастный человек на земле», то «тревожная кнопка» должна быть приведена в действие незамедлительно и любыми средствами! Вторая фаза неврастении перестала стучаться в вашу дверь, она ее с грохотом распахнула. До третьей, кульминационной фазы — рукой подать, а там уже без врача не обойтись. Так что — жмем со всей силы на «тревожную кнопку»!

Итак, что такое «тревожная кнопка»? Как мы помним, наша беда в излишней загруженности, мозг человека, находящегося в состоянии неврастении, переполнен думами тяжкими, тяжелыми думами. Причем все они думаются наполовину (это когда вы начинаете о чем-то думать, но додумать не можете, мысль обрывается и сворачивается), без всякого проку. И от нас самих, когда мы в таком состоянии, проку никакого. Так что если мы выйдем в этот момент из игры, никакой катастрофы не случится, мы лишь сделаем скрытое явным, и не более того. Это не капитуляция, это вынесение адекватной оценки происходящему, что, собственно, и открывает нам путь к излечению.

И, пожалуйста, не ведите с собой по этому поводу никаких переговоров. Это ваше решение о временном прекращении какой-либо деятельности и начале лечения — окончательное и обжалованию не подлежит. Не думайте: «Нет, еще рано. Я еще могу чуть-чуть потянуть. Еще много важных дел. Я еще немножечко потяну, а там уже и займусь собой». Помните — все это слова-предатели, они хотят, чтобы вы истощились до полной астении и потеряли какую-либо возможность вернуться к нормальной жизни без помощи психотерапевтов-реаниматологов.

Критерии, по которым вы узнаете о том, что на «тревожную кнопку» пора жать с полной и неистовой силой, вам теперь хорошо известны, а потому какие-либо переговоры, уговоры и компромиссы здесь лишены всякого смысла — у вас сработала «тревожная кнопка».

«Тревожная кнопка» — это образное наименование того поворотного пункта, от которого берет отсчет наше излечение. Обычно мы вваливаемся в неврастению постепенно (не меньше двух-трех месяцев, а иногда и значительно дольше), мы сами зачастую не видим, как снижается наш жизненный тонус. И если не огласить обнаружение этой болезни, причем в самой жесткой и категоричной форме, мы так и будем катиться под гору. Вот почему так важно знать все симптомы неврастении, и как только первый из них будет нами замечен и идентифицирован как таковой — «Вот, я разорался без всякого серьезного повода!», или «Вот, я расплакалась из-за ерунды!», или «Вот, я не могу вникнуть в суть рабочих моментов!» — все, включается «тревожная кнопка». Все дела откладываются, мы заболели и нам надо лечиться.

«Выйти из игры»

«Выйти из игры!» — значит сказать себе буквально следующее: «Баста, карапузики, кончилися танцы! Я попался! Я заболел! Я временно для всех и вся умер!» Кому-то, может быть, это и покажется странным, но если мы не дернем за рубильник и не прекратим траты своего мозга, то еще чуть-чуть — и он выключится сам, и вероятность реанимации его после этого оказывается под вопросом. Итак, отключиться жизненно необходимо! Мы перестаем участвовать в чем-либо, нас с этого момента ничего не интересует, мы вышли в отставку, уехали «в глушь, в Саратов»: «Всем прощайте! Пишите — "до востребования"».

Были у нас проблемы на работе — теперь это нас не интересует, у нас нет проблем, нет работы, мы в отпуске за свой счет. Случились у нас сложности в личной жизни — нет больше этих сложностей и нет этой жизни, мы ушли в монастырь

> Самопожертвование должно преследоваться по закону. Оно деморализует тех, ради кого идут на жертвы.
>
> *Оскар Уайльд*

отшельником. Беспокоили нас какие-то проблемы, связанные с семьей — все, проблем больше нет, все темы закрываются до лучших времен. Все!

Разумеется, речь идет о психологическом выключении из ситуации. Было бы, конечно, более правильным взять больничный и действительно от всех скрыться на какое-то время, пока мы будем приводить «себя в себя», но, в целом, это и необязательно. Вполне достаточно, не меняя своего привычного образа жизни, просто подумать таким образом: «Меня нет. Это просто моя тень ходит на работу и делает вид, что присутствует дома. На самом деле все это только имитация. Маленькое, в меру упитанное привидение».

Впрочем, у меня нет сомнений, что наш мозг, находящийся в тревоге, напряжении и лишенный какой-либо адекватности, будет говорить нам: «Брось валять дурака! Ты еще все можешь! У тебя масса важных, а главное, неотложных дел! Занимайся ими, а то пожалеешь!» Такой шантаж, скорее всего, будет иметь место. Человеку трудно принять решение и временно отлучить себя от тех занятий, которыми он занимается каждый божий день.

Мы привыкли вникать в вопросы, решать проблемы, делать то, за что несем ответственность, и думать, что если мы этого не сделаем или сделаем не так, то небо упадет на землю, а земля тут же провалится в тартарары. Ошибка! Ничто никуда не упадет, ничто никуда

> Не тот умен, кто умеет отличить добро от зла, а тот, кто из двух зол умеет выбирать меньшее.
>
> *Аль-Харизи*

не провалится, все это иллюзия и нелепые страхи (пополам, кстати, с манией величия).

Нам только кажется, что мы незаменимы, что если мы уйдем на время в сторону, все рухнет. Не рухнет! Может быть, пойдет не шибко, может быть, разрешится само собой, может быть, кто-то сделает это за нас. Как бы то ни было, катастрофы не произойдет. Забудьте об этом! Катастрофа произойдет в том случае, если вы на «тревожную кнопку», будучи в таком состоянии, не нажмете.

Вы, скорее всего, неоднократно заболевали в своей жизни гриппом и всякий раз, имея температуру под сорок, благополучно выходили из активного функционирования в состояние полноценного «аута». Ничего же не случилось! Никто не умер! А если бы не вышли в «аут», могли бы и помереть, и теперь — ровно такой случай! Возможно, у вас также случались какие-то травмы, когда вы выпадали из жизни на месяц-другой.

Вероятно, у вас случались и экстренные хирургические операции — аппендицит, внематочная беременность и т. п. Вы тогда продолжали вести все свои дела прямо с операционного стола? Или же все каким-то образом временно обошлись без вас? Полагаю, что обошлись. Если же кто-либо в вашей жизни будет настаивать на «продолжении банкета», то он может скоро лишиться вас, мягко говоря, надолго.

> Как нет ничего глупее непрошеной мудрости, так ничего не может быть опрометчивее сумасбродного благоразумия.
>
> *Эразм Роттердамский*

Может быть, конечно, и «напрягутся» какие-то дела за время вашего отсутствия, но, право, все и вся как-нибудь уж обойдутся временно без вашего участия (по крайней мере интеллектуального, физически, если уж это так необходимо, вы можете поприсутствовать). Главное, что вы теперь об этом не думаете — ни о том, ни о другом, ни о третьем. Вы в полной прострации — такова ваша цель, и сейчас не неврастения вас в нее погружает, а вы сами принимаете для себя это решение: никаких дел, никаких дум, все ушли на фронт и закрылись на переучет.

«Выйти из игры» — это значит немедленно прекратить всю ту деятельность, которая и привела нас в неврастению. Повторюсь, речь идет о нашей «внутренней деятельности» — это наши размышления, переживания, а проще говоря, вовлеченность в те или иные дела. Сейчас объявляется мораторий, все работы замораживаются. Если мы этого не сделаем сейчас и временно, это сделает за нас неврастения — чуть позже, но зато уже надолго. Поэтому ограничение собственных нагрузок в такой ситуации не нужно воспринимать ни как «затруднительное дело», ни как «поблажки». Это лечебная процедура, назначенная вам врачом и по жизненным показаниям, поэтому обжалованию не подлежит. Вы теперь имеете право думать только об одном: как вылечиться и что нужно для этого сделать.

Возможность есть всегда

Когда я рекомендую своим пациентам, страдающим неврастенией, сократить свои нагрузки, отключиться временно от тех дел и проблем, которые занимали их до обращения за помощью, мне часто приходится слышать: «У меня нет такой возможности...» На это всегда хочется ответить, что у человека нет иных вариантов, а вот возможностей как раз предостаточно.

Когда мы говорим о сокращении психологических нагрузок, речь не идет о том, чтобы вовсе выпасть из жизни, сбежать куда-нибудь в далекую сибирскую деревеньку и жить там до старости. Разумеется, это ограничение, во-первых, является временным, а во-вторых, подчеркиваю это особо, касается только *внутренней* составляющей.

Разумеется, если у вас есть возможность взять отпуск, отправить хотя бы часть своей семьи на отдых, чтобы сократить число бытовых проблем, — это, конечно, хорошо. Но если такой возможности нет, то это не беда. Ничто не мешает вам ограничить, например, просмотр телевизора, чтение газет и журналов, а также иные информационные потоки, включая не обязательные беседы с соседями, друзьями и т. п. В конце концов, вы сейчас и не тот собеседник, который был бы, наверное, им нужен.

Но вернемся к понятию «внутренней составляющей». Допустим, у вас развилась неврастения, но вы никак не можете не ходить на работу. Теперь я буду говорить, как кому-то, может быть, покажется, крамольные вещи. Но, право, если работодатель не дает человеку больничный, тогда как тот имеет на это все основания и необходимость, то он — этот работодатель — сам и виноват. Доктор должен сделать то, что он должен сделать.

Итак, у вас развилась неврастения, а на работу вам ходить надо. Если это работа физическая — проблем нет никаких, потому что физическая деятельность хотя и утомляет, но не является основной причиной неврастении; если у человека было бы хорошее психологическое состояние, физический труд (в разумных пределах, конечно) его бы не подкосил. Но если эта работа сопряжена с интеллектуальной деятельностью, то вам придется в течение одной-двух недель, пока вы занимаетесь терапией своей неврастении, имитировать свою работу и делать вид, что вы ею заняты. Ничего не могу поделать: запрет на интеллектуальную деятельность — он и есть запрет.

Теперь другая проблема — родственники. Если речь не идет о малолетних детях, то с ними задача решается точно таким же образом. Малолетних детей придется как-то обслуживать или попросить кого-то выполнять эту работу в течение тех же одной-двух недель, а вот с остальными надо поговорить. Возможно, им трудно понять, что именно с вами происходит, возможно, они не очень хотят вас слушать и идти вам навстречу, но обсудить эту тему с ними можно и нужно.

Скажите им, что вы последнее время очень плохо себя чувствуете, подробно опишите свою симптоматику (усталость, слабость, головные боли, нарушения сна и т. д.), попросив предварительно вас не перебивать. При этом, пожалуйста, будьте максимально деликатны и корректны — вы просто излагаете существо проблемы, не более того. Не раздражайтесь, не пытайтесь никого обвинять (вам нужны сейчас союзники, а не боксерские груши) или закатывать сцены — так помощи не ищут.

Не забудьте указать на то, какие меры вы уже попытались пред-

> Если бульон наваристый, о петухе не горюют.
>
> *Александр Фюрстенберг*

принять для того, чтобы улучшить свое состояние. Быть может, вы ходили к врачу, брали дополнительный выходной, изменили свой рабочий график и т. д. Что-то вы точно делали, чтобы облегчить свое состояние, и об этом надо сказать, дабы ни у кого не сложилось мнения, что вас эта «лень» осенила с бухты-барахты. Будьте максимально конкретными и последовательными — расскажите все как есть.

После этого вам необходимо по возможности ясно и точно сформулировать то, что вы от своих близких ждете и в чем должна заключаться их помощь. Выглядеть это должно примерно следующим образом: «И у меня большая просьба, надеюсь, что она никому не покажется очень большой, это для меня очень важно. Ближайшие две недели я буду проходить курс восстановительного лечения: принимать лекарства, делать специальные упражнения и т. д. Для этого мне нужна максимальная концентрация и нельзя будет отвлекаться. Поэтому если в чем-то в эти две недели вы сможете обойтись без меня, пожалуйста, обойдитесь. Представьте, что я уехал (уехала) в командировку, заболел (заболела), нахожусь в больнице или что-то в этом роде. Если случится что-то чрезвычайное, и я буду вам очень нужен (нужна), я, конечно, все брошу и помогу. Но если такой ситуации не возникнет, прошу считать меня на больничном. Спасибо вам большое за понимание. Я очень вас люблю и хочу побыстрее прийти в норму, чтобы вернуться к нормальной жизни».

Звучит, конечно, формально, но вы можете эту «рыбу» разнообразить. В любом случае вы должны будете это сказать; не думайте, что ваши родственники сами все поймут. Но если вы все им подробно расскажете (о «больном пункте» можете упомянуть, если считаете нужным, а можете и не упоминать, ограничившись общими словами), опишите свое состояние и сердечно попросите о помощи, уверен, они будут рады вам ее оказать. В сущности, единственное, что от них потребуется — это дать вам возможность привести себя в порядок, решать в это время домашние дела и какие-то частные проблемы самостоятельно.

Еще раз повторяю, если вы будете доброжелательны и подробно опишете вашим близким клинику своего состояния (скажете не просто — «мне плохо», а скажете — у меня, мол, то-то, и то-то, и то-то), они обязательно вас поймут и поддержат. Ну а если не поймут... Значит, ваши отношения находятся в таком плачевном состоянии, что две недели моратория на общение, взятого вами единолично, им уже повредить не смогут.

Поймите главное — сейчас, ближайшие несколько дней, вы должны полностью посвятить своему лечению. Как вы решите на это время прочие свои проблемы — не имеет принципиального значения. О сгоревших блинах, как известно, при погорельцах не плачут. Блины — это дела на этих двух неделях, а погорельцы — это вы за компанию со своей неврастенией.

«Снятие требований»

Догадываюсь, что ответственным и серьезным людям, каковыми мы все с вами, как я полагаю, являемся, трудно выполнить сформулированное только что «обязательное условие». Нам кажется, что это недопустимо, что на нас лежит ответственность, что мы не можем бросить те дела, которыми мы занимаемся и т. д., и т. п. Как простой человек я готов согласиться с подобными доводами, но как врач протестую категорически!

Именно эта ответственность и серьезность, по большому счету, и являются основной причиной развития у нас неврастении. В противном случае, мы бы давно с вами легли на боковую, и никакой неврастении у нас не развилось, но мы не легли — и вот теперь, что называется, приехали. Это, конечно, не значит, что для сохранения собственного здоровья человек должен быть безответственным и несерьезным. Но в какой-то момент нужно употребить свою ответственность и серьезность правильно.

Что я имею в виду? Если человек действительно ответственен и серьезен, то он должен понимать, что неврастения — это болезнь, и болезнь серьезная, с ней не шутят. Можно, конечно, гнать себя днем и ночью, как ездовую лошадь, но у всего есть предел, и в какой-то момент эта лошадь просто, мягко выражаясь, выйдет из строя. Это первое.

Теперь второе. Если мы с вами ответственные и серьезные люди, то должны понимать, что чем раньше мы начнем лечение, т. е. чем быстрее мы прекратим свое падение в яму и начнем из нее выбираться, тем лучше. И если нам не безразлична судьба окружающих и тех дел, которыми мы занимаемся, то мы должны это сделать: заметить проблему как можно раньше и, приостановив все, заняться собственным лечением.

> Очень хорошо, если кто-то меняет мнение. Это значит — у него есть, что менять.
>
> *Ласло Фелеки*

Поэтому ответственным и серьезным в такой ситуации можно признать только одно решение — при обнаружении симптомов неврастении нажать на «тревожную кнопку» и «выйти из игры» (разумеется, временно и, конечно, символически). А чтобы это вызывало как можно меньшее ощущение внутреннего дискомфорта, мы вспоминаем третье «обязательное условие» — снятие требований.

О чем идет речь? У каждого человека есть требования, которые он предъявляет к другим людям, а также к окружающей его действительности, но есть у него и требования, которые он предъявляет самому себе*. Здесь нас интересуют, в большей степени, последние. Мы требуем от самих себя соответствия некоему идеалу, нам кажется, что мы должны быть идеальными работниками, что мы должны наилучшим образом справляться со своими делами, что мы должны быть хорошими родителями и хорошими детьми, хорошими супругами и хорошими гражданами, что мы должны быть ответственными, серьезными и т. д.

Все это и правильно, и неправильно, причем одновременно. Конечно, нет ничего зазорного в том, что мы стремимся быть чуточку лучше. Но, во-первых, это желание не должно превращаться в паранойю, в конце концов мы такие, какие мы есть — у нас есть недостатки, а главное, есть предел и нашим возможностям. Это

* Мы уже самым подробным образом обсуждали вопрос требований несколько раз, в частности, в книгах «Как избавиться от тревоги, депрессии и раздражительности» и «Пособие для эгоиста», а также в «Средстве от депрессии».

естественно, и этого нечего стесняться, и совершенно незачем себя из-за этого мучить. А во-вторых, есть такие периоды в нашей жизни, когда подобные требования, обращенные к самим себе, являются просто опасными и поэтому не могут быть оправданы.

Больной человек не должен требовать от себя того же, чего он требует от себя же, но здорового. По-моему, это вполне логично. Если человек заболел, к нему нужно относиться как к больному человеку, и сам этот больной должен относиться к себе как к больному. Это, конечно, не значит, что он должен лечь ничком, хныкать и изображать из себя умирающего, нет. Больной человек должен лечиться, соблюдать предписанный ему режим и т. д.

Так вот, если мы заболели неврастенией, если у нас симптомы синдрома хронической усталости, то вполне логично относиться к себе как к больным. Суть этой болезни, как мы уже знаем, в психологических перегрузках, а потому лечение и предполагает ограничение этих нагрузок. Но о каком их ограничении можно вести речь, если человек требует от себя как от здорового?!

Вот у человека симптомы переутомления, он не способен выполнять те задачи, которые обычно решал с легкостью, он не может сдерживать свое раздражение, которое раньше у него в таких ситуациях и не появлялось, он перестает выполнять какие-то свои житейские обязанности, потому что у него на них элементарно не хватает сил. И если в такой ситуации он начнет требовать с себя как со здорового, то, разумеется, будет собой недоволен. Он станет переживать, мучиться, пытаться соответствовать своему идеалу, а в результате получится то, что получится, он просто околеет!

Поэтому третье обязательное условие излечения неврастении звучит следующим образом: если у вас симптомы неврастении, вы не должны требовать от себя быть «правильными», «хорошими», «исполнительными», «сообразительными», «ответственными», «серьезными» и т. п. Эти требования откладываются до лучших времен (впрочем, и тогда их надо будет использовать с некоторой осторожностью), а сейчас просто не их время, они должны быть сняты и устранены. Мы болеем, и мы такие, какие мы есть: больные, уставшие, измученные, ошибающиеся, не соображающие, короче говоря, страдающие неврастенией. Будут у нас лучшие времена, и мы будем лучше, а сейчас... Сейчас — увольте!

«Снятие требований» — это абсолютно естественное и обязательное условие излечения. Если мы заболели неврастенией, то мы просто не можем требовать с себя как со здоровых. Да, если раньше, до своей болезни, мы могли сделать и то, и другое, и третье, то теперь, именно по причинам этой болезни, мы не можем этого сделать. И это не потому, что мы плохие и никуда не годимся, а потому, что мы попали в плен своей болезни. Конечно, в этом есть и наша вина, но «разбор полетов» следует оставить до того момента, пока мы не вылечимся, а когда излечение наступит, тогда можно будет и посмотреть, что конкретно мы неправильно делали и как предупредить возможность повторения этой болезни.

ТРИ УПРАЖНЕНИЯ
НА ВСЕ СЛУЧАИ НЕВРАСТЕНИИ

Только что мы оговорили три обязательных условия лечения неврастении, их необходимо выполнить вне зависимости от тяжести вашего состояния. Техники, о которых сейчас пойдет речь, напротив, весьма специфичны. Одна предназначена для ультрапарадоксальной фазы неврастении (самой тяжелой), другая для парадоксальной (средней по тяжести), а третья для уравнительной (минимальной).

Задание: «А я иду, шагаю...»

Начнем с самой тяжелой формы неврастении, с ультрапарадоксальной фазы. Поскольку я считаю, что лечение бывает эффективным только в тех случаях, когда пациент сам хорошо понимает, что с ним такое и почему ему необходимо делать то или другое упражнение, применять ту или иную процедуру, то соответственно, начнем мы с обсуждения этих вопросов.

> Если вы заранее знаете, к чему вы хотите прийти, то шаги в этом направлении — это совсем не эксперимент.
>
> *Джидду Кришнамурти*

105

Итак, ультрапарадоксальная фаза неврастении характеризуется общей пассивностью человека, он находится словно бы во сне, погружен в какую-то вату, чувствует заторможенность, ему кажется, что мир вокруг бежит с какой-то совершенно другой, неведомой ему скоростью. Почему это происходит? Говоря физиологически, мы имеем здесь истощение нервной ткани и преобладание процессов торможения над процессами возбуждения. Наш мозг, образно выражаясь, превратился из централизованного государства в некое подобие феодальной раздробленности.

Если мы здоровы, а наш мозг находится в хорошей рабочей форме, то работает он как единый слаженный организм. Он способен принять решение, выделить приоритеты и сосредоточиться на решении конкретных задач. Признак сильной системы — это не просто ее потенциал, а способность направить весь этот потенциал в определенное русло. А при феодальной раздробленности, как известно, существует множество мелких государств, каждое из которых не способно ни на серьезные внешнеполитические акты, ни на противостояние в борьбе с завоевателями. Вспомните, как татаро-монголы завоевывали раздробленную великокняжескую Русь, и вы поймете, о чем я веду речь.

Наш мозг в ультрапарадоксальной фазе неврастении представляет собой именно такую «феодальную раздробленность». В отдельных его участках

Человек тоже подвержен метаморфозам: многие начинают как мотыльки, а кончают как гусеницы.

Жульен де Фалкенар

еще сохраняется достаточная активность, но собрать все свои силы воедино и выдвинуться в нужном направлении он не может. Исходя из этого, наша задача состоит в том, чтобы помочь ему решить эту задачу. Для этого мы создадим в мозгу «пункт» (не «больной», разумеется), который сможет стать центром притяжения всех прочих сил. Продолжая аналогию с татаро-монгольским игом, можно сказать, что нам нужен Иван Калита, который соберет русские земли вокруг сильного Московского царства. Как же это сделать?

Мне часто приходится ссылаться на другие книги, изданные в серии «Карманный психотерапевт», иначе изложение проблемы одной только неврастении заняло бы, наверное, тысячу страниц. Так что прошу прощения и снова ссылаюсь на книгу «Как избавиться от тревоги, депрессии и раздражительности». Там мы рассматривали основные механизмы работы мозга, в частности, феномен доминанты. Сейчас я не буду повторяться, скажу только, что искомый Иван Калита — и есть такая доминанта.

Доминанта — это центр-гегемон, он концентрирует и стягивает на себя все силы, которые есть на данный момент в нашем мозгу. Причем все посторонние центры он подавляет, и начинается в нашем мозгу строительство централизованного государства. Проблема ультрапарадоксальной фазы в том, что доминанты в таком состоянии

Солнце, Луна и звезды давно бы исчезли... окажись они в пределах досягаемости загребущих человеческих рук.

Генри Хэвлок Эллис

мозг создать не может, у него просто не хватает на это ресурса. Но мы можем ему помочь, хотя это и потребует определенных усилий.

Цель задумки такова — мы создаем бестолковую, в сущности, доминанту, которая не имеет никакой специальной цели. Но сейчас никакая цель нам и не нужна, а нужно, чтобы мозг просто собрал все имеющиеся у него силы в одной точке. Далее, собрав их воедино, он сможет направить их туда, куда ему будет нужно, чтобы продолжить восхождение по отвесной стене той ямы, в которой мы оказались.

Надеюсь, что мои объяснения понятны, потому что дальше я как доктор потребую совершать действия, которые, на первый взгляд, лишены всякого смысла. Мы будем ходить...

Создать доминанту можно любую, но самая простая — это механическая доминанта, когда все наши мышцы синхронизируются в одном достаточно простом действии, каким, собственно, и является ходьба. Не знаю, смотрели ли вы когда-нибудь фильм «Forest Gamp» про одного слегка сумасшедшего мужчину. По сюжету герой переживал множество самых разнообразных перипетий, и в какой-то момент, когда его психическое состояние уже было окончательно подорвано, вдруг побежал.

Для многих — это самый странный эпизод фильма, ведь Форест бегал, если я не ошибаюсь, четыре года кряду, через всю Америку, от берега Атлантического океана к

Недоверие к себе — причина большинства наших неудач.

Кристиан Боуви

берегу Тихого и обратно. Потом он также внезапно остановился и почувствовал себя хорошо. Несмотря на всю странность и парадоксальность это, быть может, самая достоверная часть фильма. Мозг Фореста к моменту начала его забега представлялся невосстановимой развалиной. И все это время он, можно сказать, собирался по крупицам, синхронизировался и отстраивался заново.

Разумеется, подобной экзекуции я никому не предлагаю. В нашу программу входит лишь недельная (в худшем случае — двухнедельная) программа, причем не бега, а обычной ходьбы*.

Задача проста: сначала вы ограничиваете любую свою интеллектуальную деятельность, кроме жизненно необходимой, но в основном работаете «мебелью» и начинаете ходить. Устанавливаете себе, что каждый день, вне зависимости от погодных условий, настроения, желания и прочих обстоятельств, вы выдвигаетесь за пределы собственной квартиры и шествуете в любом избранном вами направлении.

Решаете — я дойду во-о-он дотуда — и вперед! Дойдя до выбранного места, решаете: если у вас сил еще предостаточно, то продолжаете удаляться от дома до следующего намеченного вами пункта. Там снова сверяетесь и если понимаете, что уже хорошо себя нагрузили, двигаетесь в обратном направлении, к дому. Придя домой — садитесь, изображаете из себя

---

* Бег противопоказан хотя бы потому, что он может дестабилизировать нашу вегетативную нервную систему (она регулирует функции внутренних органов тела), а это в нашем состоянии было бы крайне нежелательно.

«овощ» и отдыхаете. Такая прогулка, судя по опыту моих пациентов, не должна длиться меньше двух часов и более четырех. Хотя здесь необходим индивидуальный подход.

Главное, чтобы вы начали чувствовать (а это происходит уже где-то к третьему-четвертому разу), как ваше внутреннее состояние ко второй половине прогулки начинает потихоньку набирать определенную силу. Это ощущение, как правило, напоминает состояние человека, находящегося перед каким-то неизбежным, непростым, но вместе с тем желаемым действием. То есть в нем читается своего рода сосредоточенность, но не столько интеллектуальная, сколько общая.

Примерно с этого же этапа работы вы начинаете чувствовать удовольствие от прогулок, и возникает желание их увеличивать. В разумных пределах это оправданно. Но не торопитесь заканчивать эту работу, неделя — это минимальный срок.

Лечение третьей — ультрапарадоксальной — фазы неврастении требует от нас создания в голове мощной доминанты, единого «центра силы», вокруг которого могли бы сконцентрироваться оставшиеся нерастраченные ресурсы мозга. Когда такой центр возникнет и соберет по сусекам все оставшиеся в мозгу силы, у нас появится реальная возможность начать выстраивать архитектуру внутримозговых отношений заново, после постигшей наш мозг третьей мировой войны. Решаем мы эту задачу достаточно просто — ежедневными (в течение одной-двух недель) длительными прогулками.

По данной процедуре у меня осталось две оговорки. Первая касается беспредметности этих прогулок. Не пытайтесь превратить их во что-то «полезное», т. е. ставить перед собой какую-то дополнительную цель. Если вам это и необходимо, то делайте ваши цели как можно более наивными и легковесными.

Например, если вы знаете, что где-то в вашем городе установили какой-нибудь памятник или построили новое здание, то вы можете наметить его как один из пунктов на своем маршруте. Но не думайте, что вы отправляетесь «куда-то», чтобы зайти в «нужное место». Это просто пешая прогулка, ничего более.

И, пожалуйста, никаких картинных галерей («культурная программа») или магазинов («шопингов»), предлагаемых в таких случаях глянцевыми журналами. Они хороши, если у вас есть силы. Любое развлечение — это трата сил, помните об этом. Если у вас сил достаточно, то вы можете инвестировать их в развлечение, и это, возможно, придаст вам новые силы. Но в случае неврастении у нас нет права ни на какие вложения — силы должны концентрироваться, а не рассеиваться.

Вторая оговорка касается тех «дел», которые хорошо было бы делать во время ходьбы. Впрочем, об этом дальше.

В любом поступке немаловажную роль играют цель и назначение. И там, где цель ничтожна, там даже храбрейший поступок может вызывать насмешку. А где цель высока, там героизм достигает своего величия.

М. М. Зощенко

111

Одно к одному

Как мы уже сказали, нужно, чтобы наш мозг собирался и отстраивался заново. Именно с этой целью мы насильственным образом создаем в себе доминанту (доминанту ходьбы) и ждем, пока она станет достаточно сильной, чтобы собрать воедино весь наш «расщепившийся» за время болезни мозг. Ничего специального, ничего сверхъестественного. После того как эта доминанта сформируется, мы почувствуем, как наш мозг сам начинает потихонечку, но неотвратимо приходить в нормальное свое состояние. Но не будем торопиться, сейчас я указываю только на то, что ходьба — это все, что нам сейчас нужно.

Впрочем, во время ходьбы (но только где-то к третьему или даже пятому дню) мы можем начать целенаправленно помогать своей доминанте ходьбы. Как это сделать? Суть этой части фокуса состоит в следующем. Сначала, когда мы возьмем и «вдруг» пойдем, думать нам будет тяжело, мысли в таком состоянии обычно путаются, долго в сознании не задерживаются и кажутся «рваными». Но дальше, по мере улучшения нашего состояния, они будут куда более настойчивыми, однако им еще не время нас терзать, мы должны сосредоточиться только на ходьбе.

Кажется, что инструкция, звучащая как: «Ничего не думайте!», выглядит, по меньшей мере, нелепо. Ведь нельзя же, как кажется, не думать! Впрочем, буддийским монахам это удается. Как они это делают? Путем сложных медитативных упражнений? В некоторых монастырях — да, но в других поступают куда проще, там монахи используют естественные механизмы работы моз-

Всё мое учение в этом *здесь-и-сейчас*, потому что нет иного пространства, кроме «здесь», и нет иного времени, кроме «сейчас».

Бхагаван Шри Раджниш

га. В частности, в ходу механизм, который управляет функцией нашего внимания[*].

Всю технологию этой процедуры (она называется «Здесь и сейчас») вы сможете найти во второй главе книги «Счастлив по собственному желанию». Вкратце она выглядит следующим образом. Если мы одновременно заняты тремя вещами, то на четвертую наш мозг уже не способен ни при каких условиях, это его естественное ограничение. Поэтому если вы идете (первое дело) и одновременно смотрите на то, что вас окружает (второе дело), а также, например, в то же самое мгновение слушаете звуки, раздающиеся вокруг вас (третье дело), то на мысль в вашем мозгу уже просто не остается вакансии. В таком состоянии думать просто невозможно.

Это самый простой способ «выжить» мысль из собственного сознания, оставив ему лишь одну возможность — наслаждаться тем, что есть. Обычно же мы просто перемалываем одни и те же мысли, что, собственно, и приводит нас с диагнозом «неврастения» на больничную койку. Кроме прочего, здесь так же может быть уместна техника на «раздвижение пространства», которую, как и предыдущую, можно найти в книге «Счастлив по собственному желанию».

И еще один вариант — это помочь своему дыханию. Если у вас появится такое желание, то более сложную процедуру «Здесь и сейчас» можно заменить более простой — напевать в процессе ходьбы какую-нибудь мелодию. В этом случае вы убиваете двух зайцев, поскольку, напевая, заставляете двигаться вашу диафрагму, а потому дышать вам станет легче, что для ходьбы, как вы понимаете,

---

[*] Подробное описание этого механизма вы можете найти в уже упоминавшейся книге «Как избавиться от тревоги, депрессии и раздражительности», вышедшей в серии «Карманный психотерапевт».

очень существенно. С другой стороны, само эффективное дыхание оказывает лечебный психотерапевтический эффект.

Здесь необходимо помнить только одно важное правило: песенка, которую вы напеваете, должна быть как можно более простой (желательно ограничиться лишь одним ее припевом) и удобоваримой для использования в данном случае. Проще говоря, какой-нибудь «трогательный марш» подойдет сюда куда лучше, нежели романс или оперная ария.

Если же вы не знаете «трогательных маршей», то просто помогайте себе дышать и будьте «здесь и сейчас» — смотрите на то, на что падает ваш взгляд, и слушайте те звуки, которые доносятся до ваших ушей. Это может показаться странным человеку, неискушенному в психологии, но в действительности мы редко видим то, на что смотрим, и слышим то, что слушаем. Чаще эти естественные «раздражители» мы подменяем мыслями, а мысли потом подменяют нас, от чего, собственно, мы и встречаемся со своей неврастенией.

Задание: «Ничего не буду делать!»

Если вы благополучно управились с ультрапарадоксальной фазой неврастении, честно отходив свои «пятнадцать суток», или еще не успели дойти до кондиции ультрапарадоксальной фазы, нажав на «тревожную кнопку» раньше, пребывая в парадоксальной фазе, то вам показано упражнение иного содержания. О нем речь...

Как вы помните, основной лейтмотив парадоксальной фазы неврастении заключается в следующем: человек не может уже (или еще — если мы только-только выбрались из самой тяжелой фазы этой болезни) реагировать на события своей жизни, крупные по своему масштабу, но зато он всякий раз выходит из состояния равновесия, когда сталкивается с какой-нибудь мелочью.

Подобное положение дел объясняется все той же «феодальной раздробленностью», но здесь наши княжества еще не сдались татаро-монгольским ханам, а пока относительно процветают в рамках своей местечковой самодеятельности. С чем это связано? Способность образовывать полноценную доминанту (централизованное государство) наш мозг на этой фазе неврастении уже потерял.

Одним из основных инструментов работы доминанты является ее способность подавлять постороннюю активность, концентрируя все силы на какой-то одной, но крупной задаче. Сейчас же подавить эту постороннюю активность наш мозг уже не в силах, вот и начинается «шаляй-валяй», разные участки мозга ведут свою собственную жизнь и работают кто во что горазд.

Чтобы навести порядок, необходимо собрать это безобразие в мощный кулак и сделать это надо железной рукой. Этой рукой и является механизм торможения, который мы и будем сейчас оттачивать. Как только у нас будет достаточное количество сил, чтобы подавить всякую самодеятельность отдельных центров нашего мозга, можно считать, что в нашей борьбе с неврастенией наступил коренной перелом. Вот почему тренировка

> Для утвердительного ответа достаточно лишь одного слова — «да». Все прочие слова придуманы, чтобы сказать «нет».
>
> Дон Аминадо

психического механизма торможения является сейчас задачей первостепенной важности.

Еще раз повторюсь, эта процедура должна проводиться на второй неделе от начала лечения, если мы начинаем с терапии ультрапарадоксальной фазы ходьбой; а также в тех случаях, когда мы не успели дойти до состояния тяжелой неврастении и только-только «загремели» в парадоксальную фазу, т. е. нас стали выбивать из седла самые незначительные события.

Тренировка торможения отдельных центров мозга, активность которых не приносит нам сейчас ничего, кроме убытков, — это весьма забавная работа. Чем-то она напоминает закрытие мелких бессмысленных предприятий выходящей на рынок крупной компанией. Сейчас мы будем применять в своем мозгу не антимонопольное законодательство, как это дело практикуется в демократических странах, а законодательство монопольное. Устанавливаем гегемонию, причем опять же, как и в случае с ходьбой, абсолютно бессмысленную — гегемонию ради гегемонии.

Итак, в чем же секрет этого упражнения? Для начала представьте себе хорошенько, о чем вы думаете, а главное — *как* вы думаете, находясь в парадоксальной фазе неврастении. Поскольку порядка к этому времени в голове уже нет никакого, вы напоминаете собаку на сене, у которой еще и семь пятниц на неделе. Князья в своих удельных княжествах тянут друг на друга одеяло и вечно кому-то его не хватает, и вот уже никому нет покоя, одеяло находится в постоянном хаотическом движении.

Вы не можете ни на чем сосредоточиться (доминанта не формируется должным образом), и как только начинаете чем-то заниматься, через несколько минут обнаруживаете, что, не закончив предыдущее дело, вы уже занялись чем-то совершенно другим. Но, несомненно, и это дело скоро постигнет та же участь — возбудится другой центр мозга и снова собьет вас с панталыку. Короче говоря, масса дел — и никакого проку.

Наша задача подавить работу всех этих — лишних и случайных, не являющихся необходимыми — центров мозга, учинив таким образом диктатуру порядка и строжайшей экономии. Как мы будем это делать? Просто запретим себе какую-либо активность, причем не так, как это оговаривалось в одном из обязательных условий лечения неврастении, а в жесткой ультимативной форме, хотя и на строго ограниченный период времени.

Для выполнения этого задания необходимо выделить себе время (не меньше часа) и место (желательно кровать или диван). Далее вы садитесь или ложитесь, и устраивайтесь поудобнее. Последнее уточнение важно необычайно, поскольку в ближайшее время вы будете лишены возможности двигаться, так что примите комфортную позу, чтобы потом не страдать от неудобства.

После того как вы легли, закрывайте глаза и заказывайте секьюрити — то бишь охранника. Не в прямом, разумеется, смысле, а в переносном. Вы должны назначить свое сознание на должность охранника, оно больше ничем другим во время выполнения этой техники заниматься не будет, кроме как только охранять ваш покой.

Кстати, вы представляете себе, как выглядит высокооплачиваемый секьюрити? Это такой молчаливый и невозмутимый субъект ростом под два метра, абсолютно лишенный чувства юмора и не знающий ничего, кроме одного-единственного слова. Какого? Вы к нему подходите, что-то у него спрашиваете, а он, даже не глядя на вас, отвечает: «До свидания!», и мурашки по коже. Вот такой, в сущности, милый «малый».

Именно на эту должность и фрахтуете сейчас свое сознание. Только произносить свое волшебное слово оно будет не вам и не кому-нибудь, а тем мыслям и желаниям, которые будут возникать у вас в момент выполнения этого задания. Всем им он скажет заветное: «До свидания!».

Итак, вы удобно устроились, закрыли глаза и лежите на своей постели. Тут вам в голову приходит идея, что так лежать неудобно и надо, например, накрыться дополнительным одеялом. Но как только в вас возникает эта идея-желание, как в мозгу раздается громогласное и не терпящее возражений: «До свидания!». И идея-желание, которой, собственно, и

Привычка к упорядоченности мыслей единственная для тебя дорога к счастью; чтобы достигнуть его, необходим порядок во всем остальном, даже в самых безразличных вещах.

Эжен Делакруа

адресовалось это прощальное слово, благополучно ретируется.

Через какое-то мгновение возбуждается какой-то иной центр вашего мозга, и вы думаете: «А может быть, кофейку?» И тут же слышится: «До свидания!» Потом вы еще захотите что-нибудь почитать, посмотреть телевизор, позвонить знакомому или знакомой, сделать какое-то важное дело, о котором вы забыли. И всякий раз ваш секьюрити будет повторять то же самое: «До свидания!».

Он будет говорить это и вашим желаниям, и вашим спонтанным порывам, и даже просто вашим мыслям — как только вы попытаетесь о чем-то задуматься, он отвадит вас от этого дела своим замечательным: «До свидания!». Он произнесет свою заветную фразу даже в том случае, когда у вас зачешется нос или возникнет непреодолимое, как кажется, желание повернуться со спины на бок. Потому что это только кажется, что что-то непреодолимо, и если звучит волшебное заклинание — «До свидания!», — преодолимым оказывается все на свете!

Исход у этой процедуры может быть разным. Если утомление действительно велико, скорее всего, вы заснете. Процессы торможения имеют свойство к взаимной индукции, а поскольку сон — это разлитое торможение, то вполне может статься, что оно, спровоцированное нашим охранником, выйдет из берегов и зальет собой весь мозг, усыпив даже нашего бдительного охранника. Впрочем, это — наступивший сон —

единственная причина, способная извинить его временный уход с авансцены нашей психики.

Если же вы и не заснете, то эффект все равно будет достигнут. Вы почувствуете его сами, поймете, что он достигнут. Как? По ощущениям. При правильном выполнении этого задания вы в какой-то момент почувствуете необыкновенную собранность, внутреннюю готовность действовать. И это ощущение будет ни чем иным, как сигналом: гегемония в мозгу установлена, порядок наведен, все силы и земли собраны под единоначалием нашего «я».

Проводить эту технику желательно пять-семь дней кряду. Впрочем, уже после второго-третьего раза вы будете чувствовать себя новым человеком. Однако не рекомендую стремиться сразу же употребить весь свой потенциал в каких-либо практических целях. Попытайтесь им просто насладиться, почувствовать себя «при делах», а не «в деле». До дел нам пока еще далеко, ведь так преодолевается только вторая стадия неврастении, а перед нами еще первая — уравнительная.

Лечение второй — парадоксальной — фазы неврастении предполагает тренировку «торможения». Точнее сказать, мы должны помочь своему мозгу затормозить те его участки, которые производят бессмысленную и ненужную работу. Сейчас львиную долю своих сил наш мозг просто пускает на ветер, бессильный противостоять слабым раздражителям, которые постоянно и беспринципно выдергивают остатки его и без того малых «финансовых средств». Процедура достаточно проста — мы ложимся, занимаем удобное положение и начинаем отсекать всякие потуги каких бы то ни было раздражителей вовлечь нас в свою игру. Итогом этого упражнения является концентрация сил, приобретение внутренней устойчивости, а также отдых — в виде полноценного и хорошего сна, который часто кульминирует выполнение этой техники.

Задание: «Делаю то, что делаю»

После победы над парадоксальной фазой неврастении нам остается преодолеть единственное препятствие — уравнительную фазу болезни. В ней человек чувствует себя, в целом, «нормально», а поэтому этот этап развития неврастении мы так часто прослеживаем. Впрочем, сейчас вы уже знаете основные его признаки, а поэтому сможете включать свою «тревожную кнопку» настолько рано, насколько это возможно. И чем быстрее мы это сделаем, тем, соответственно, меньше нам придется предпринимать разнообразных усилий по излечению.

Специфика уравнительной фазы неврастении в том, что серьезные и мелкие раздражители уже нами не различаются. Мы реагируем на происходящее всегда одинаково, вне зависимости от того, насколько случившееся существенно и по-настоящему важно. Серьезный домашний конфликт, который может привести к охлаждению отношений между близкими людьми, вызывает у человека, находящегося в этой фазе неврастении, точно такую же реакцию, как и простая, не влекущая за собой никаких серьезных последствий накладка на работе. Он или одинаково раздражается в обоих случаях, или одинаково игнорирует и то и другое.

Проще говоря, испытывая утомление, мы теряем свои приоритеты, не можем вникнуть в существо проблемы. Внешне какая разница, с кем мы разругались — своим близким (другом, супругом, родителем) или же с незнакомцем на улице? Внешне — разницы никакой. Но если этого незнакомца мы, скорее всего, больше никогда в своей жизни не встретим, то с близким человеком нам предстоит и дальше поддерживать отношения. Соответственно, последние для нас важны и значимы, а первые совсем нет. Но человек, находящийся в уравнительной фазе неврастении, не отдает себе в этом отчета и ранит человека, от которого в значительной степени зависит вся его жизнь.

К сожалению, неврастения погубила множество серьезных отношений. Люди конфликтовали друг с другом, считали, что это «в порядке вещей», хотя просто не могли, не имели сил понять, сколь серьезную ошибку таким образом совершают. А из-за своей общей слабости они, ко всему прочему, не имели возможности сдержаться, затормозить свою агрессию в столь значимых для себя отношениях. Вот почему к невра-

> Завести лошадь в воду несложно; но если вы сумеете заставить ее плавать на спине, значит, вы действительно чего-то добились.
>
> *Лесли Хартли*

стении нужно относиться очень серьезно — **будучи ослабленными, испытывая выраженное утомление, фиксируясь на каких-то «больных пунктах», мы часто допускаем непростительные ошибки, за что нам потом приходится расплачиваться**.

Уравнительная фаза — это первый этап обсуждавшейся уже «феодальной раздробленности». Мозг теряет возможность централизовать свои силы, направлять их в какое-то одно направление, слабость «центральной власти» приводит к тому, что мысли скачут от одного вопроса к другому, не удерживаясь на одном месте. Возникает ощущение, что мы постоянно заняты, тогда как эффективность нашей деятельности только снижается. Кажется, что проработали весь день, а посмотришь — видишь, что на самом деле ничего не сделал. Мозг просто был занят всем сразу и ничем конкретно, потому что «конкретно» он уже не может, сил не хватает.

Что ж, здесь рекомендация доктора будет, на первый взгляд, очень простой, но на деле — необычайно сложной. Впрочем, опыт моих пациентов подсказывает, что задача решаема, главное — начать и делать.

Итак, тут у нас две задачи. **Первая — остановить прыгающую мысль, которая скачет у нас от одной темы к другой, совершенно не двигаясь с места.** Мы думаем обо всем и ни о чем, заняты всем и ничем. Как остановить эти прыжки, эти бесконечные переходы мысли от вопроса к вопросу? В сущности, достаточен простой

«фейс-контроль». И если на предыдущем этапе (во время лечения парадоксальной фазы)
наш секьюрити выполнял, если так можно выразиться, роль вышибалы, здесь он лишь «до-
сматривает» мысли и действия на предмет их
благонадежности.

Если говорить конкретно, то выглядеть это
будет следующим образом. Вы спрашиваете
себя: «О чем я думаю?» (начинаете досмотр
своих мыслей, на которые, как вы понимаете,
уходят ваши силы). И отвечаете: «Я думаю о
том-то и о том-то» (например, о проблеме, которая возникла у вас на работе, или о каких-
то семейных делах). И после того, как тема вашей мысли определена, необходимо задать себе
второй, заключительный здесь вопрос: «А что
нового я хочу себе сказать?»

Теперь немного пояснений. Все то, что мы
думаем, это, по сути, наш собственный диалог
с самими собой. То есть мы разговариваем сами с собой на какую-то интересующую нас тему.
Если вы думаете о проблеме, которая возникла
на работе, вы разговариваете с собой об этом;
если вы думаете о ваших семейных делах, то
вы разговариваете с собой об этих семейных делах. Но что нового вы можете себе сказать? —
вот в чем вопрос.

По большому счету, все, что
есть в нашей голове — уже в ней
есть. Мы что-то знаем и думаем
о своей работе, мы что-то знаем
и думаем о своей семейной си-

> Если вы намеренно со-
> бираетесь быть меньшим,
> чем вы можете быть, я
> предупреждаю вас, что
> вы будете несчастным
> всю оставшуюся жизнь.
>
> *Абрахам Маслоу*

туации, и это все уже есть в нашей голове. Можем ли мы таким образом, просто размышляя (вспоминая, воспроизводя в памяти какие-то жизненные ситуации), додуматься до чего-то нового? Узнать что-то, чего прежде в нашей голове не было? Боюсь, что нет. Мы, если так можно выразиться, просто проворачиваем то, что уже есть в нашей голове. На это проворачивание уходят силы, но толку от него — никакого. Только если растревожимся больше нужного.

Поэтому когда мы задаем себе этот провокационный вопрос: «А что нового я хочу себе сказать?», то становится вдруг совершенно очевидно, что мы занимаемся совершеннейшей ерундой. Ничего нового мы себе сказать не хотим, а главное — и не можем, даже если бы и хотели. Мы лишь переливаем из пустого в порожнее, утомляя себя и свой мозг лишенной всякого смысла процедурой.

Надо отдавать себе отчет в том, что сил у нас мало, что мы истощили возможности своего мозга до болезненного состояния (пусть это и первая стадия неврастении, но уже неврастения!). Необходимо, наконец, понимать, сколь опасны подобные игры с неврастенией. И тогда, разумеется, эффект от этого вопроса — точнее, от нашего замешательства при ответе на него — будет значительным. Мы осознаем (не просто поймем, а именно *осознаем*), что такие наши размышления — чистой воды безумие, они бессмысленны и вредны. Осознав, думать об этом у нас не будет уже никакого желания.

Таким, в сущности, нехитрым способом мы останавливаем свои скачущие мысли и высвобождаем силы. Как ими теперь распорядиться?.. Мы переходим ко второй из двух заявленных задач. Только что мы решали вопрос остановки своих мыслей, теперь же перед нами **другая проблема: мы должны научиться концентрировать свои силы на решении одной конкретной задачи.**

То есть не растекаться мыслью по древу и не скакать по нему с той же самой мыслью, а сосредотачиваться на конкретных вопросах с тем, чтобы наш мозг постоянно был занят чем-то одним. Если у нас это получится, то мы остановим опасные тенденции — «потуги» мозга подвергнуться феодальной раздробленности.

На секунду отвлечемся. Пожалуйста, вспомните, о чем вы думаете, когда идете на автобусную остановку или направляетесь к парковке своего автомобиля? О чем вы думаете, когда едите — завтракаете, обедаете или ужинаете? О чем вы думаете, находясь в душе, или когда чистите зубы? Чем занят ваш мозг, когда вы ждете своей очереди — в магазине, в приемной врача или на бензоколонке? Как вы, наверное, уже догадались — все эти вопросы с подвохом. Ведь ответ на них будет всегда одним и тем же: «О разном...».

Да, именно о разном. А что вы делаете, когда идете на автобусную остановку, моетесь в душе, стоите в очереди? Вы

> Следует свой ум углублять, а не расширять и, подобно фокусу зажигательного стекла, собрать все тело и все лучи своего ума в одной точке.
>
> *Клод Гельвеций*

идете, моетесь, ждете и т. д. Иными словами, вы делаете сразу два дела — идете на остановку и думаете о том, что надо купить в магазине; моясь, вы вспоминаете о своем годовом отчете; а дожидаясь своей очереди у врача, размышляете о том, почему ваш супруг (или супруга) был вчера так расстроен. А нам сейчас нельзя делать сразу два дела; нам и одно сейчас совершенно не стоит делать, а два — и подавно!

Так вот, когда мы остановили свои мысли, силы, которые на них обычно тратятся, высвободились. Теперь их нужно употребить, но так, чтобы они усилили общий потенциал нашего мозга, а не ослабили его. И тут действует очень простое правило: делайте то, что вы делаете. Если вы едите — ешьте; если идете — идите; если моетесь — мойтесь; если ждете — ждите, и не делайте больше ничего! Научитесь получать удовольствие от того, что вы просто идете; удовольствие от того, что вы едите; моясь в душе, получайте удовольствие от контакта с водой.

Все эти действия полны ощущений, которых, впрочем, мы не замечаем, поскольку заняты раздумьями о чем-то совершенно постороннем. Теперь же наша задача в том, чтобы начать чувствовать свои ощущения, воспринимать их, получить от них удовольствие, наслаждаться ими. Думайте об этом наслаждении, думайте о том, что с вами в этот момент происходит. Короче говоря, не отвлекайтесь, сосредоточьтесь на том, что вы делаете, отдайтесь этому делу целиком.

К сожалению, обычно мы поступаем прямо противоположным образом. Например, находясь дома, мы думаем о работе, на работе, мы, напротив, думаем о доме. Но это же абсолютное безумие! Когда мы приступаем к обеду или ужину, мы или ищем себе собеседника, с которым можно было бы поболтать во время трапезы, или же включаем телевизор. Когда мы отправляемся на отдых, мы берем с собой книгу, когда читаем, пытаемся что-то жевать или заниматься еще каким-нибудь параллельным делом (массажем костяшек пальцев или тренировкой мышц ног).

Нам словно бы мало, недостаточно того, что мы делаем, мы пытаемся загрузить свой мозг иными, дополнительными занятиями. И причины этого понятны, виной всему повышенная тревожность, о чем я уже неоднократно рассказывал в своей книге. Однако же так мы не только не уменьшаем уровень своей тревоги, но, напротив, истощаем себя, а потому лишь повышаем риск ее возникновения и роста. Истощенный человек — это слабый человек, а слабый человек — это тревожащийся человек. Так что подобное бегство — попытки искать себе занятие — на самом деле не спасают, а лишь дополнительно нас травмируют, делают более уязвимыми и тревожными.

Подведем итоги. Для того чтобы победить неврастению, которая находится на первой своей стадии — в уравнительной фазе, — наша задача остановить скачки своей мысли, спросить себя о том, что нового мы хотим себе сказать, и, убедившись, что ничего нового мы себе сказать не хотим, сосредоточиться на том деле, которое мы в данный момент делаем. В сущности, процедура эта очень простая, я бы даже сказал, незамысловатая. Но учитывая, с одной стороны, состояние нашего мозга в уравнительной фазе неврастении, когда сосредоточиться становится все труднее и труднее; если принять во внимание, с другой стороны, нашу привычку вести с собой долгие и бессмысленные диалоги ни о чем, привычку заниматься одним, а думать в этот момент о другом, то оказывается, что в этой незамысловатости есть великая хитрость.

Еще раз повторяем алгоритм: сначала вы спрашиваете себя, о чем именно сейчас думаете, потом о том, что именно вы хотите себе сказать, а затем — чем именно вы сейчас заняты и заняты ли этим полностью, а спросив и ответив, вы вполне способны прийти в себя. Как это ни парадоксально, когда мы сами научаемся останавливать нашу мысль, она не только не останавливается, но напротив, становится более ясной, более объемной и полнокровной. А главное — происходит экономия сил и вырабатывается привычка естественной их концентрации.

Занимаясь лечением первой — уравнительной — фазы неврастении, нам необходимо решить две задачи. Во-первых, остановить бесплодные и бессмысленные скачки своей мысли от одной темы к другой; во-вторых, научить концентрировать свои силы на решении тех задач, решением которых мы и занимаемся. Первая задача решается нами с помощью специальных «инспекций», когда мы производим «ревизионный контроль» того, что мы думаем. Вторая задача может быть решена при использовании простого правила: делай только то, что делаешь. Мы привыкли отвлекаться и делать несколько дел сразу, но, право, подобная политика просто не может быть эффективной, особенно если мы находимся не в лучшей своей психической форме.

ДОПОЛНИТЕЛЬНЫЕ СИМПТОМЫ — НА МЫЛО!

Неврастения движется подобно снежной лавине — все начинается с небольшого внутреннего конфликта — «больного пункта» — или просто с перенапряжения, а дальше одно начинает цепляться за другое. Истощаясь, наша нервная система становится значительно более чувствительной и ранимой, именно поэтому у нас возрастает общая тревожность и появляются самые разнообразные страхи, увеличивается раздражительность, а это, в свою очередь, приводит к еще большему истощению нашего психического аппарата. Перенапряжение приводит к нарушениям сна, и мы лишаемся полноценного отдыха, что при неврастении, как вы понимаете, смерти подобно. Наконец, общая тревожность, раздражительность, нарушения сна и неврастения как таковая совместно участвуют в появлении головных болей, а с головной болью да на больную голову жить становится все труднее и труднее.

Так что лечение этих частных симптомов — не просто лечение этих симптомов, а способ разорвать порочный круг под названием «неврастения». По каждой из вышеназванных проблем я уже подготовил специальные психотерапевтические пособия — «Средство от страха», «Средство от бессонницы», «Средство от головной боли и остеохондроза» (все они вышли в серии «Экспресс-консультация»). Но рассказывать о лечении хронической усталости и не остановиться на этих вопросах было бы неправильно. Вот почему мы обсудим эти вопросы и здесь, причем применительно именно к неврастении.

Задание: «Всем страхам назло!»

Почему у человека, страдающего неврастенией, увеличивается число самых разнообразных страхов? Кажется, что должна наблюдаться обратная тенденция — если человек устает, если он чувствует слабость и падение общего жизненного тонуса, то ему должно становиться все — все равно. Произошло что-то — и наплевать! Случилось что-то не так, как хотелось, — и пожалуйста! Возникли какие-то опасения — и черт с ними, гори оно синим пламенем! И кажется, что так оно и есть. А вот если

> Как часто люди пользуются своим умом для совершения глупостей.
>
> *Франсуа Ларошфуко*

приглядеться внимательно, то оказывается, что все обстоит как раз прямо противоположным образом.

Как вы думаете, какой человек ощущает себя более защищенным — сильный или слабый? Нетрудно догадаться, что сильный, а какие мы в неврастении? Слабые. Теперь подойдем с другой стороны. Если наш мозг работает как единая слаженная система и возникают какие-то жизненные трудности, какие у мозга шансы с ними справиться? Надо думать, что неплохие. А если он начинает «сыпаться», если начинается пресловутая «феодальная раздробленность», как он будет с ними справляться? Разумеется, куда хуже.

В общем, хотя и кажется человеку, пребывающему в неврастении, что «на все ему наплевать» и беспокоиться не о чем, поскольку «смысла нет», он куда более любого здорового подвержен этой инфекции — невротическим страхам. Как правило, впрочем, все страхи тут «смешные». Они часто бывают нелепыми, неуместными, мимолетными, но от того не менее вредными для общего состояния психического здоровья. Да и тревога, если она в такой ситуации возникает, отличается специфическими чертами — она всегда с чем-то связана, но то, что тревожит человека, не так уж его и волнует. Это такая тревога ради тревоги.

Как же себе помочь в этой ситуации? В книжке «Средство от страха» я уже рассказывал,

> Обладание всякого рода благами — это еще не все. Получать наслаждение от обладания ими — вот в чем состоит счастье.
>
> *Пьер Бомарше*

что страхи формируются у человека по механизму условного рефлекса. Страх — это, своего рода, привычка. Кто-то привычно думает о том, что у него квартира сгорит из-за не выключенных электрических приборов, кто-то привычно боится ходить по темным улица, кто-то выработал у себя привычку бояться начинать разговор с незнакомым человеком. В неврастении, если эти страхи у человека уже есть, они усиливаются, становятся более «злыми». А если нет, то появляются.

Например, одна из моих пациенток, которая оказалась жертвой неврастении после разрыва со своим молодым человеком («больной пункт»), была офисным работником со стажем, но почувствовала вдруг, что не может снять трубку телефона и позвонить клиентам своей фирмы. Раньше с этим никаких проблем не возникало — брала и звонила. А теперь ни с того ни с сего стала бояться. Причем она сама умом понимала, что страх этот нелепый, что бояться ей нечего, а боится, и все тут! Кстати, она и обратилась ко мне за психотерапевтической помощью именно из-за этих страхов, тогда как в действительности проблема лежала совсем в другой плоскости — у нее была не фобия, а классическая неврастения.

Впрочем, вернемся к привычке бояться. **Любая привычка жива потому, что мы, так или иначе, осуществляем ее положительное подкрепление, т. е. делаем что-то, что заставляет ее в последующем повторяться.** О том, как мы это делаем в отношении своих привычек бояться, я уже рассказывал в книжке «Средство от страха». Поскольку сам по себе страх — это ощущение дискомфорта, любое действие, способствующее уменьшению этого дискомфорта, является положительным подкреплением данного страха. Поэтому когда мы боимся, например, встречи с неприятным для нас человеком и избегаем этих встреч, то этот наш страх только увеличивается.

Какие есть средства борьбы с привычкой бояться? Первое, о чем я уже рассказывал в упомянутой книге, заключается в устранении соответствующих положительных подкреплений. Если собаку перестать вознаграждать за выполнение каких-то прежде подкреплявшихся действий, то в скором времени она перестанет их совершать. Всякий, кому доводилось дрессировать собаку, хорошо знает: чтобы собака не забывала команды, ее исполнительность периодически нужно стимулировать чем-нибудь вкусненьким. Но есть ли еще какие-то способы борьбы с вредными привычками? Есть, и здесь в ход идет уже не положительное, а отрицательное подкрепление.

Отрицательное подкрепление проще можно было назвать — наказание. Действительно, если нас наказывают за тот или иной поступок, мы теряем всякое желание повторять его вновь (тут, правда, наказание

> Человек — верный раб своих привычек, и многие мелочи повседневной жизни только кажутся ему существенно важными, а на самом деле они сделались такими единственно в результате привычки.
>
> Эдгар По

должно быть «правильным», как в случае с «точечными ударами» по вражеским объектам). **Иными словами, если мы хотим выбить из себя какой-либо страх, мы всякий раз при его появлении должны себя наказывать. И если делать это правильно, то очень скоро наш мозг десять раз подумает, прежде чем сгенерирует этот страх.** В этом смысле он очень напоминает собаку, которая, если «правильно» ее наказать, никогда не сделает больше того, за что ее «правильно» наказали.

Теперь нам остается придумать наказание для своего мозга за то, что он в тех или иных ситуациях начинает самозабвенно продуцировать страх. Как это сделать? Мы уже с вами сказали, что страх сам по себе — очень неприятное чувство, сопровождающееся выраженным дискомфортом. Желая избавиться от этого дискомфорта, мы усиливаем свои страхи. Если же мы сможем увеличивать этот дискомфорт (отрицательное подкрепление) вместо того, чтобы снижать его (положительное подкрепление), привычка бояться подвергнется редукции, т. е. проще говоря, исчезнет.

Если у человека нет неврастении, то он может наказывать себя по методу «от обратного» — сознательно и целенаправленно усиливая свой страх. Об этом методе я уже рассказывал в книге «Счастлив по собственному желанию». Но если у него есть неврастения, то наказывать себя лучше нагрузкой (это самое жестокое наказание для человека с хронической усталостью), а именно — выполнять то, что требует от него страх сразу и беспрекословно. Поскольку требования невротического страха всегда нелепы и, как правило, предполагают массу самых разнообразных ненужных действий и поступков, то наказание будет действительно серьезным.

И здесь главное не тянуть. Обычно мы начинаем бояться, но долгое время пытаемся «бороться со своим страхом»; мы говорим себе: «Нет, не может быть!» и продолжаем бояться. Наши сомнения в оправданности наших страхов, как оказывается, только увеличивают наш страх, дают ему возможность усложниться. Поэтому сейчас всяческие «самоуспокоения» отменяются, ведь они пытаются облегчить нашу судьбу. Но подобное «облегчение» выполнит роль положительного подкрепления нашего страха, а нам этого совершенно сейчас не нужно, нам необходимо как раз обратное!

В каждом конкретном случае есть свой способ увеличить собственный дискомфорт при появлении у себя страха. И задача состоит лишь в том, чтобы правильно подобрать соответствующий ключ, а с мерой можно не бояться — переборщить здесь лучше. Если же удается таким образом добиться и комического эффекта, если этот ход в ответ на появление страха показывает, кроме прочего, его абсурдность и смехотворность — это идеальное лекарство от привычки бояться.

Искусство быть мудрым состоит в умении знать, на что не следует обращать внимания.

Уильям Джеймс

Наши страхи держатся только потому, что мы осуществляем в их отношении положительное подкрепление, мы их поддерживаем: получаем удовольствие, когда нам удается от них сбежать, а само это бегство и служит разрастанию нашего страха. Впрочем, страх можно лишить этого положительного подкрепления, а можно создать и отрицательное подкрепление: не пытаться снизить свой дискомфорт, связанный со страхом, а, напротив, увеличить его какими-то дополнительными нагрузками. Единственное непременное условие этой процедуры — честность с самим собой: если дал себе зарок наказывать себя за проявления страха, то делать это надо обязательно и не страшась.

Случай из психотерапевтической практики: «Заходите в гости к нам!»

Посмотрим, как эта психотерапевтическая техника работает в конкретном случае. Один из моих пациентов — Юрий, находившийся в неврастении, вдруг стал бояться, что он, уходя из дома, забудет закрыть дверь и окна. Умом он, разумеется, понимал, что страх его нелеп и неоправдан, но ничего с собой поделать не мог. Едва он спускался в лифте на первый этаж, как ему сразу начинало казаться, что дверь не была заперта, что осталась открытой форточка, а воры обязательно этим воспользуются и немедленно бросятся расхищать его жилище.

Для того чтобы снизить интенсивность своего страха, Юра стал всякий раз перед уходом из дома многократно проверять все щеколды, замки, дверные и оконные ручки и т. д. Убедившись, что все закрыто, он временно чувствовал какое-то облегчение, которое в действительности выполняло роль положительного подкрепления его страхов кражи. Разумеется, все эти «меры» не спасали Юру от возобновления страха сразу по выходе на улицу — он появлялся с завидной регулярностью. Можно сказать, что его мозгу нравилась эта игра: он научился получать наслаждение, сначала изрядно напугав Юру (создавая тем самым ощущение дискомфорта), а затем успокаивая его ритуалом проверки всех упомянутых «охранных систем». После проверки страх временно отступал, чувство дискомфорта снижалось, а потому молодому человеку становилось «приятно, хорошо и легко на душе».

Что ж, нам с Юрой надо было придумать отрицательное подкрепление, которое бы помешало его мозгу получать такое странное, на первый взгляд, но такое сильное удовольствие. Что мы придумали? Подробно изучив данную фобическую привычку, мы выяснили, что страх этот начинается всякий раз одинаково. Юра выходил из квартиры, садился в лифт, нажимал на кнопку первого этажа и тут же начинал думать: «А закрыта ли форточка?!». С этой фразы у него начинало расти беспокойство, однако он пытался с ним бороться, убеждая себя: «Нет, она закрыта. Я же проверял!». Далее Юра доезжал до первого этажа и тут уже начинал сомневаться в том, что дверь его в квартиру закрыта как следует: «А я точно повернул ключ два раза? Может быть, я ее просто захлопнул?». Тут снова начинались самоуговоры: «Да нет, закрыл. А не закрыл, так и ладно…». Чуть-чуть успокоив себя, молодой человек двигался дальше, пребывая, впрочем, все в том же состоянии внутреннего напряжения. Иногда, не выдерживая, Юра все-таки возвращался домой и перепроверял все двери и окна. Так он боролся со своим страхом...

Самым простым способом справиться с фобией было усиление дискомфорта, т. е. создание отрицательного подкрепления, чем, собственно, мы и занялись. Юра получил у меня инструкцию — подчиняться каждой своей тревожной мысли. Иными словами, когда бы и при каких бы условиях у него ни возникла мысль о том, что что-то осталось незакрытым или незапертым, он должен был сразу отправляться и проверять, так ли это на самом деле. Важным в этой инструкции было то, что Юра должен был делать это *сразу* и *в любом случае*, т. е. вне зависимости от обстоятельств и не занимаясь долгим самоубеждением, что «все закрыто» и ему «только кажется».

Практически это должно было выглядеть следующим образом. Вот Юра выходит из своей квартиры, закрывает дверь, вызывает лифт, садится в него и собирается нажать на кнопку первого этажа. Если в этот момент у него появляется мысль, что форточка осталась незапертой, он на упомянутую кнопку не нажимает, а выходит из лифта, открывает дверь в свою квартиру и идет проверять, закрыта ли форточка. Причем он должен сделать это даже в случае, если будет сомневаться в этом.

Иными словами, возникла у тебя тревожная мысль — будь добр ей подчиниться и выполнить все, что она требует. Если эта мысль возникает у Юры, например, когда он выходит из квартиры, то он должен подчиниться ей в этот момент; если позже, например, уже на улице, то, соответственно, на этой самой улице; а если на работе, то — на работе, точнее говоря, во время ухода с работы (чего бы это ни стоило), сразу и немедленно после возникновения этой тревожной мысли, необходимо вернуться домой и проверить — закрыта ли дверь, форточка, балкон.

Можно себе представить, что немедленное следование собственной тревожной мысли — это очень обременительное занятие, которого в обычном состоянии человек старается не допускать. С другой стороны, если он сразу начинает ей подчиняться, то в нем автоматически возникает недоверие к ней, потому что это требует определенных жертв в пользу данной тревожной мысли.

Таким образом, эта мысль становится нежелательной. Мозг, вынужденный терпеть теперь дополнительные нагрузки, при первой же своей попытке подумать тревожную мысль начинает остерегаться — зачем ему дополнительные нагрузки?! Вот тут-то мы его и подлавливаем, мы ставим его в неловкое положение, когда он пытается включить привычку тревожиться по тому или иному поводу! Это неловкое положение выступает в виде отрицательного подкрепления, которое нам и нужно. Несколько таких отрицательных подкреплений, и нежелательная привычка уходит сама собой.

Юра, надо отдать ему должное, хорошо уяснил, что от него требуется, и выполнил все. Когда в очередной раз при выходе из квартиры у него в голове привычно возникла мысль: «А закрыл ли я форточку?», он тут же пошел проверять форточку. Оказавшись в лифте, он задумался о том, закрыл ли он дверь, и лифт остался пустым, потому что Юра отправился проверять дверь, думая в этот момент: «Господи, ну какой же я дурак! Это надо же было оказаться заложником такого идиотского страха! Да кому она нужна, эта чертова квартира, там и воровать-то нечего!»

Как часто люди пользуются своим умом для совершения глупостей.

Франсуа Ларошфуко

После, когда он вышел на улицу, у него возникла мысль: «Хорошо, что я все проверил». И это был подвох, своеобразная засада, которую устроил его страх, и Юра, к счастью, это понял и снова наказал себя. «Ах, значит, так! Значит, ты не уверен!» — сказал он себе и пошел снова «проверять» свои окна и двери, уже будучи в полной уверенности, что они закрыты даже сильнее нужного.

После этого тревожные мысли повторялись еще три или четыре раза, но всякий раз Юра был наготове — он шел и делал то, что они требовали, даже не раздумывая над тем, насколько они верны. Теперь у него сомнений не было — они были неверны, но важно было себя наказать, наказать свой мозг за то, что он смел так себя вести — думать тревожные мысли. И он наказывал, «...дабы глупость всякого, — как говорил в таких случаях Петр I, — видна была»!

Эффект не заставил себя ждать, со страхом было покончено. Впрочем, еще оставалась неврастения, ее парадоксальная фаза, которую мы и вылечили описанным выше в соответствующем разделе способом.

Задание: «Не спешите меня раздражать!»

Второй дополнительный симптом неврастении — это повышенная раздражительность. И это не странно, если у человека, что называется, нервы на исходе. Его мозг теряет способность защищаться от лишних и незначительных на самом деле раздражителей. В обычном состоянии такие раздражители автоматически отсекаются мозгом, а в неврастении оказываются почти неразрешимой задачей.

Помните басню И. А. Крылова про Моську и слона о том, как большой слон игнорирует выпады в свою сторону мелкой и скандальной собачонки? Именно так ведет себя здоровый мозг по отношению к слабым раздражителям. Но в состоянии переутомления ситуация меняется, здесь один большой и сильный слон превращается в большое количество маленьких и хиленьких слоников, на которых лай безобидной Моськи производит драматизирующее впечатление.

Если мы находимся в хорошей форме и нам наступают на ногу, мы, конечно, напрягаемся, но раздражение быстро улетучивается, потому что мы начинаем думать: «Ерунда, ничего страшного! До свадьбы доживет». Но в неврастении подобная защита не срабатывает (не может или не успевает сработать), мы выходим из себя, срываемся на крик, раздражаемся и потом еще долгое время не можем успокоиться. Мы начинаем переживать из-за того, что нам испортили туфлю, мы фиксируемся и на этой туфле и на чувстве боли в ноге, нам начинает казаться, что ущерб обуви непоправим, что боль не проходит, а, напротив, только усиливается и т. д.

Совершенно аналогичная ситуация может произойти с нами и на работе, и дома. Вот у нашего начальника возникли какие-то претензии к нашей работе, а мы, вместо того чтобы спокойно выслушать, в чем именно они заключаются, мчимся на свое рабочее место писать заявление об увольнении по собственному желанию. Или, в лучшем случае, выходим из кабинета с трясущимися руками, пьем успокоительное и долгое время после разговора не можем прийти в себя. Точно так же какая-то непреднамеренная грубость со стороны наших близких может в состоянии переутомления показаться нам «фатальной». Мы начинаем думать, что, мол, наши отношения с ними умерли, что раньше они были действительно близкими, а теперь нас ничто не связывает, что обида — «смертельная», а ситуация — «трагическая»...

Находясь в состоянии неврастении, мы спускаем на своих близких собак, ругаемся с сотрудниками, случайными встречными, совершенно незнакомыми людьми, продавцами в магазинах, с чиновниками, врачами, уборщицами и дворниками. Короче говоря, всюду и со всеми, потому что оказывается, что нам до всего есть дело. Близкие ведут себя не так, как они должны себя вести — нас не понимают, не прислушиваются к нашему мнению, не разделяют наших озабоченностей и т. д. Сотрудники по работе не хотят делать свое дело, перекладывают на нас свои обязанности, не соблюдают договоренности, не несут личной ответственности... Что уж говорить о чистоте дворов, о работе врачей и милиции, чиновников и жэковских слесарей! Наш гнев способна вызвать любая мелочь, его может спровоцировать даже выкрученная кем-то лампочка на нашей лестничной клетке.

Впрочем, в аналогичных обстоятельствах мы можем ощутить и прилив отчаяния, которое, если рассматривать этот вопрос с физиологической точки зрения, есть не что иное, как агрессия, обращенная внутрь самих себя. У многих из нас, особенно если мы люди «хорошо воспитанные», отчаяние часто подменяет собой обычную для неврастении раздражительность. Суть у этих состояний одинакова, только в одном случае мы выплескиваем свои реакции наружу, даем им выход, а в других случаях они остаются у нас внутри, оседая тяжелым грузом.

Вот такая ситуация, и, конечно, она не слишком улучшает наше и без того плачевное душевное состояние. Повышенная раздражительность или чувство опустошающего отчаяния истощают наш мозг, в считанные минуты растрачивают все с трудом скопленные им силы. В специальной медицинской литературе вы можете даже встретить специальный термин — «раздражительная слабость», и мне кажется, что он достаточно точно характеризует эту ситуацию. Нам же остается делать из этого выводы и бороться с данной «раздражительной слабостью». Как это сделать?

О том, как бороться с привычкой раздражаться, я уже рассказывал в книге «Как избавиться от тревоги, депрессии и раздражительности», но описанные там техники для борьбы с «раздражительной слабостью» не подхо-

> Человек — разумное животное, которое всегда теряет хладнокровие, как только оно призвано действовать в соответствии с велениями разума.
>
> *Оскар Уайльд*

дят. При неврастении мы раздражаемся не потому, что у нас есть такая привычка — раздражаться по любому поводу, а потому, что наш мозг из-за состояния истощения просто не может сопротивляться внешним раздражителям, отсеивать их. Все они проникают в него абсолютно беспрепятственно и с каким-то изощренным садизмом дергают за соответствующие ниточки.

Поэтому здесь нам нужно избрать другую тактику самозащиты, мы не должны себя в чем-то переучивать, а тем более «брать себя в руки», здесь следует просто помочь своему мозгу, поставить своеобразный заслон на пути этих мародеров — слабых и несерьезных, по большому счету, раздражителей. Прежде всего нам необходимо понять, что мы находимся в очень специфической ситуации: мы больны, и наш мозг истощен. Поэтому проблема состоит не в том, что мы стали раздражительными и взбалмошными, а в том, что наш мозг ослаблен.

Вы, наверное, знаете, что состояние нашего общего здоровья защищает иммунная система. И если она находится в хорошей форме, то она легко отражает постоянные атаки на наш организм со стороны самых разнообразных инфекций. Но стоит ей ослабнуть, как первая же атака таких, в сущности, безобидных инфекций может стоить нам здоровья, а то и жизни. С мозгом, находящимся в истощении, ситуация ровно такая же, а потому дело это серьезное и мы должны правильно определиться с главным приоритетом. Поскольку если мы ошибемся сейчас в приоритетах, то можем потерять слишком многое.

Итак, что для нас является в такой ситуации главным приоритетом — те факторы и обстоятельства, которые вызывают у нас раздражение, или, быть может, все-таки состояние нашего нервно-психического здоровья? Думаю, что ответ на этот вопрос очевиден: разумеется, предметом нашей основной и всемерной заботы сейчас является наше собственное здоровье. Вот почему мы формулируем для себя правило, которого до момента своего излечения будем придерживаться категорически и беспрекословно. Правило простое, почти в полном соответствии со словами из пушкинской сказки о рыбаке и золотой рыбке: «Только бы моя душенька была покойна».

В отличие от любых прочих психотерапевтических процедур, направленных на борьбу с собственной раздражительностью, эта — самая простая. **Мы не ищем здесь ни правых, ни виноватых, не определяем степени адекватности своих реакций, мы просто формируем ту защиту, которая естественна для нашего мозга, когда он находится в хорошей форме.** В этом своем состоянии он не перестает воспринимать внешние стимулы и раздражители, но мелкие и несущественные из них он может легко отсекать и игнорировать. Сейчас, в неврастении, мы потеряли эту способность, поэтому нужно создать ее, хотя бы и искусственно.

Практически это выглядит следующим образом. Всякий раз, когда какой-либо внешний стимул (раздражитель) вдруг прорывается сквозь защитный барьер и пытается вывести нас из себя, мы просто проговариваем сформулированную нами теперь фразу: «Только бы моя душенька была покойна». Сейчас, сколь бы значительным нам ни казалось то или иное событие, оно не должно нас интересовать, мы должны быть готовы его упразднить, списать со счетов, а этого можно добиться только одним способом — если мы выведем на авансцену нашего сознания свой главный приоритет, т. е. состояние собственного психического здоровья.

Сейчас, кроме этого здоровья, нас ничто не должно волновать. Если мы не вылечимся, если наше состояние будет ухудшаться, то все внешние обстоятельства рано или поздно все равно потеряют для нас какой-либо вес и значение. Иными словами, если мы не предпримем сейчас никаких мер для собственного спасения, наш мозг благополучно дойдет до ультрапарадоксальной фазы неврастении, и тогда уж нам точно будет «все все равно». Только в этом слчае выбраться из той ямы бессилия, в которой мы окажемся, шансов у нас будет немного.

Поскольку нам все равно этого не избежать, и рано или поздно мы все равно станем игнорировать все происходящее по собственной слабости, то лучше уж пойти на это сейчас, но зато иметь шанс быстро выправить положение. Иными словами, чем оттягивать неизбежное, лучше уж сразу согласиться на определенные жертвы (грубо говоря, позволить себе на все плюнуть и от всего отгородиться), но зато восстановить свои силы и в относительно короткие сроки вернуться к нормальной жизни.

Итак, как только вы почувствовали, как чтото стало вас напрягать, раздражать или тревожить, вам следует поставить защиту: «Только бы моя душенька была покойна». А там — хоть потоп! Пусть вам наступают на ноги, отчитывают, грубят, не обращают внимание, когда вы того заслуживаете, пусть все делают, как они хотят. Нас это волновать не должно, если нас что и беспокоит, то только собственное душевное состояние, а там гори оно все синим пламенем!

Когда наш мозг находится в хорошей форме, он сам, без нашего участия, можно сказать, автоматически отсекает лишние и ненужные раздражители. Он справляется с тем напряжением, которое у нас появляется, и не растрачивает его понапрасну. Но в состоянии неврастении, к сожалению, он теряет способность игнорировать незначительные раздражители, и мы начинаем раздражаться по мелочам. Чтобы изменить эту ситуацию, нам необходимо искусственно восполнить пробел в своей защите. Делаем мы это просто — определяемся с главным приоритетом, каковым у нас в неврастении, безусловно, является наше собственное психическое здоровье. «Только бы моя душенька была покойна» — вот то заклинание, которое мы повторяем всякий раз, когда сталкиваемся с какой-либо неприятностью, повторяем и шествуем дальше, как ни в чем не бывало.

Разумеется, этот способ избавления от раздражения не является панацеей в том смысле, что его не нужно использовать всегда, но в неврастении он вполне оправдан. Как мы помним, специфика этой болезни заключается в том, что мы теряем способность отличать сильный раздражитель от слабого, главное от второстепенного, существенное от несущественного. Но если мы не можем сделать такой выбор, то нам и не следует его делать. Все равно мы ошибемся, все равно значительное будет нами потеряно, а несущественное, напротив, возведено в ранг значительного.

Надо ли нам совершать эту ошибку, тем более что она самым немилосердным образом растрачивает наши силы? Вряд ли. Поэтому отгородимся временно от происходящего и будем думать только о том, чтобы наше психологическое состояние выровнялось. Когда же это произойдет, тогда мы и вернемся к нормальной жизни и к полноценным реакциям. Но не раньше этого! Раньше все равно бессмысленно, а если бессмысленно, то и не нужно.

Случай из психотерапевтической практики: «Алиса в стране чудес»

Этот случай произошел с молодой женщиной — Наташей, которой было на тот момент 27 лет. По образованию она была филологом, защитила кандидатскую диссертацию, преподавала в институте, замужем не числилась.

Обратилась ко мне за психотерапевтической помощью, предъявив жалобы на потерю памяти.

Прежде Наташа была уверена, что память у нее идеальная, могла запоминать тексты целыми страницами с точностью до запятой. Но теперь она не могла запомнить элементарных вещей. Когда же стала путать своих студентов, у Наташи случилась настоящая паника. Молодая преподавательница не помнила, у кого она что спрашивала, кто что отвечал и т. п. И когда она подумала, что на зачете или экзамене может случиться подмена, т. е. один студент станет отвечать за другого, перепугалась окончательно.

Признаться, в столь сильное нарушение «мнестической функции» молодой женщины мне не верилось, и я провел специальное тестовое исследование Наташиной памяти. Результаты не скажу, чтобы получились идеальными, но и катастрофы никакой не обнаруживалось. И начал Наташу «пытать». Это принесло свои плоды, я не ошибся. Наташа выдавала свои опасения за действительность, а на самом деле она решила, что у нее рак мозга.

Симптомы, как ей казалось, свидетельствовали именно об этом: общая слабость, быстрая утомляемость, головные боли, нарушения сна и памяти, невозможность сосредоточить внимание, неспособность сдерживать свои эмоции. Ну точно — рак мозга! Поняв это, Наташа в течение нескольких месяцев находилась в постоянном стрессе. Рассказать родителям о своей беде она не решалась, обследоваться — боялась. Потом Наташа все-таки решилась обратиться к врачам, но медицинское обследование, которому она себя подвергла, никаких результатов не дало. А о своих подозрениях она врачам побоялась сама говорить: «Пусть ищут, это же их работа!»

Врачи развели руками и сказали: «Вы, наверное, просто устали и надо к психотерапевту сходить». Наташа сначала отнеслась к этому наставлению скептически, поскольку, как ей казалось, нагрузки за последнее время у нее не увеличились, так что версия о переутомлении явно недобирала очков. Однако спустя еще несколько месяцев Наташа, будучи уже в совершенно расстроенных чувствах, решилась все-таки обратиться в Клинику неврозов.

Когда я «допытался» и услышал историю про рак, мне сразу стал понятен один из основных «больных пунктов» Наташи. С ним мы и начали нашу работу. Мне предстояло разубедить Наташу в наличии у нее рака мозга. Это было несложно. Она поставила себе этот диагноз после того, как прочла о симптомах рака мозга в медицинском справочнике, сравнила их со своими и, что называется, «проникла в суть вещей». Мне оставалось достать с полки аналогичный медицинский справочник, открыть его в нужном месте, т. е. на подпункте — «неврастения», и продемонстрировать Наташе относящиеся сюда симптомы.

Надо признать, Наташа сильно удивилась, когда поняла, что ее симптомы совпадают с симптомами неврастении значительно более точно, нежели с симптомами рака мозга. «Как такое может быть?!» — удивилась Наташа. Мне оставалось только пожать плечами — недаром же врачей учат почти десять лет кряду; если бы можно было ставить диагнозы с помощью медицинского справочника, то, наверное, сроки медицинского образования как-нибудь, да ужали бы. «Так что, это не рак?» — спросила Наташа наконец. Мы проштудировали ее анализы и результаты исследований, я рассказал ей, что в них к чему, и последние сомнения моей пациентки отпали.

Но меня интересовало, с чего же все началось, почему вообще у

> Ничто так не гнетет человека, как неизвестность, и обычно он с большим нетерпением ожидает плохих вестей, чем хороших.
>
> *Георг Эберс*

Наташи возникли симптомы неврастении. И разгадка, конечно же, нашлась. Причем лежала она не где-нибудь, а в области ее сексуальной жизни, связанной в подсознании Наташи, как это ни странно, с мамой. Наташина мама развелась с ее отцом, когда девочке не было еще и десяти лет. С тех пор эта женщина так и не устроила своей личной жизни, а главное — заняла и в отношении мужчин, и в отношении сексуальной активности самую негативную позицию. Разумеется, она воспитала свою дочь в соответствующем ключе.

В результате девочка сосредоточилась на получении образования, потом на карьере научного работника, а все традиционные перипетии нежного возраста обошли ее стороной. Впрочем, сексуальность из жизни просто так не вычеркнешь, да и все ее подруги уже сходили замуж, некоторые и не по одному разу. Так что Наташа стала в какой-то момент все-таки замечать внимание мужчин. Но полноценного сексуального удовлетворения получить ей так и не удавалось из-за большой зажатости и различных комплексов, привитых мамой. А та напрямую всячески препятствовала отношениям дочери с мужчинами. Примерно за полгода до истории с «раком» Наташа была вынуждена порвать со своим молодым человеком, которого ее мать буквально выжила из жизни дочери.

Этот молодой человек даже сделал Наташе предложение, на которое она готова была согласиться. После же размолвки, которую спровоцировала мама, готовность Наташи ослабла, а молодой человек, решивший, что его не любят, забрал свое предложение обратно. Те полгода, пока все это происходило, Наташа находилась в состоянии мучительного выбора, она постоянно думала — надо ли ей выходить замуж за этого человека, права ли ее мама и как потом поддерживать с ней отношения, учитывая весь ее негативный настрой к планируемому браку.

В общем, девушка переживала, находилась в состоянии психологически тяжелого выбора, причем ни одна из альтернатив не была для нее достаточно прозрачна. А тут еще новая преподавательская работа, научные проекты на гранты и т. п. Она стала раздражительной, срывалась на своего молодого человека и чувствовала отчаяние, когда приходилось разговаривать с мамой. Сексуальные отношения совсем стали ей в тягость, она хотела ограничить их «до свадьбы», но подобная инициатива была понята молодым человеком весьма и весьма определенным образом. Тут-то у Наташи и появились первые симптомы неврастении, потом страх, потом «раздражительная слабость» и наконец — состоялся визит к психотерапевту.

Когда я узнал все эти подробности, мне показалось, что теперь можно помочь Наташе расставить все точки над «i»: сделать несколько необходимых психотерапевтических упражнений, чтобы избавиться от неврастении, а потом ей останется преодолеть внутренний конфликт, связанный с сексуальностью и мамой. Но не тут-то было...

Выслушав мои объяснения, Наташа сказала, что она, в принципе, со всем согласна, и, наверное, у нее действительно неврастения, но я преувеличиваю значение ее сексуальных проблем и возвожу напраслину на светлое имя ее мамы. Короче говоря, я сел в лужу, причем по причине собственной несообразительности. Ну и действительно, если у моей пациентки как минимум вторая стадия неврастении (т. е. парадоксальная), зачем ей сейчас рассказывать про такие серьезные вещи? Она их просто

> Люди стыдятся своих природных недостатков больше, чем тех, которые в значительной степени зависят от них самих.
>
> *Джеймс Фенимор Купер*

не может воспринять должным образом! Постучав себя мысленно по голове, я взял назад, и мы занялись неврастенией, но и тут меня ждала та же самая лужа.

В чем состояла эта проблема? У Наташи к моменту нашей встречи уже была «раздражительная слабость» — она раздражалась на своих коллег, которые, по ее мнению, относились к своей работе формально, раздражалась на студентов, которые, по ее словам, ничего не хотели делать, раздражалась, наконец, на наше государство, которое не выделяет денег ни на науку, ни на образование. Раздражалась по каждому из этих поводов самым серьезным образом — негодовала и после этого регулярно плакала, ощущая собственное бессилие, жизненную несправедливость и т. п. При этом была совершенно уверена, что все перечисленные проблемы — это достаточные поводы для раздражения. То есть думала, что это ее раздражение вполне оправдано.

Безусловно, Наташины переживания можно понять. Но достаточно странно видеть молодую симпатичную женщину, которая тратит столько жизненных сил на посторонних, в общем-то, людей и при этом совершенно не заботится о том, чтобы наладить *свою* личную жизнь, выйти из зависимости от матери, решить финансовые проблемы... По сравнению с этим неисполнительность студентов, халатность сотрудников и т. п. — выглядят ничтожнейшими. Но у Наташи все было шиворот-навыворот, но, соответственно, она придерживалась иного мнения.

Поэтому когда я стал ей объяснять технику защиты своего психического состояния от раздражения, она снова стала негодовать. «Как вы можете так говорить?! Это вовсе не ерунда, это серьезные вещи! Преподаватели должны преподавать, а не имитировать преподавание; студенты должны учиться, а не имитировать обучение!» —

сообщила мне Наташа, продемонстрировав одновременно с этим все признаки «раздражительной слабости».

И тут мне вдруг вспомнилось, что диссертацию Наташа писала по книгам Льюиса Кэрролла, и я спросил ее, не чувствует ли она себя подобно Алисе, оказавшейся перед дверью в чудесный сад. Наташа задумалась, ведь она действительно очень напоминала эту девочку, которая никак не могла совладать с размерами. Алиса то оказывалась слишком большой, чтобы пробраться в чудесный сад, то слишком маленькой, чтобы достать ключ, которым открывалась та дверь. Так и Наташа — то видела проблемы там, где их не было, то оказывалась в нерешительности перед теми вопросами, которые требовали от нее немедленных и серьезных решений.

Для кого-то подобная аналогия, возможно, покажется несколько странной, но для человека, который подробно изучал парадоксы Кэрролла, это совсем не так. Через какое-то мгновение Наташа посмотрела на меня и процитировала отрывок уже из другой книги этого самого странного, может быть, из самых странных писателей: «Приходится бежать со всех ног, чтобы только остаться на том же месте. Если же хочешь попасть в другое место, тогда нужно бежать по меньшей мере в два раза быстрее». Что ж, лучшего определения для ее состояния, как, впрочем, и для состояния любого человека, оказавшегося в плену неврастении, трудно и придумать!

«Надо идти в обратную сторону!» — процитировал я в ответ на слова Наташи рекомендацию Королевы из «Алисы в Зазеркалье». Наташа задумалась и произнесла буквально следующее: «Действительно, если я постоянно пытаюсь решить свои проблемы так, как я это делаю, и оказываюсь в результате на приеме у психотерапевта, следовательно, их нужно решать прямо противоположным образом!» И тут я сразу предложил вариант — запретить себе беспокоиться по поводу того, что обычно вызывает раздражение и чувство отчаяния, и начать переживать по тем поводам, которые, напротив, до сих пор игнорируются. Наташа согласилась опробовать этот метод.

Уже на следующей нашей встрече она призналась, что раздражение перестало ее донимать, что она стала значительно спокойнее относиться к своим коллегам и студентам, что чувство опустошенности при общении с ее матерью перестало ее посещать. Теперь ей казались нелепыми ее прежние реакции, а главное, она почувствовала, что у нее действительно есть *свои* проблемы, которые следует решать. И прежде всего, это ее страхи и комплексы, так или иначе связанные с представителями противоположного пола.

Да, иногда очень трудно объяснить человеку, что он ищет свою проблему совсем не там, где она на самом деле находится. Наша психика — на первый взгляд — полна парадоксов, именно поэтому я предпринимаю попытку так подробно объяснять механизмы ее работы.

Когда Наташа стала выполнять все мои рекомендации, она быстро пошла на поправку. И только ей стало легче, как она осознала, что большинство ее проблем связано вовсе не с работой и не с мужчинами как таковыми, а с ее страхами и комплексами. И больше всего времени у нас ушло на изменение отношений с ее матерью, и только после решения этой проблемы Наташа смогла полноценно общаться с мужчиной, который впоследствии стал ее мужем.

Мне же тогда подумалось, что я очень ошибся, посчитав, что длительность неврастении этой молодой женщины исчисляется всего

> Лучший врач тот, кто знает бесполезность большинства лекарств.
> *Бенджамин Франклин*

двумя годами (а так я сначала думал). В действительности уравнительная фаза неврастении началась у нее еще в пубертате, и ей пришлось жить в этом состоянии почти пятнадцать лет. Сшибка нервных процессов случилась тогда, когда созревавшая сексуальность девушки столкнулась с негативным отношением ее матери к мужчинам и сексуальности вообще. В конечном счете, для такой сшибки вовсе не обязательно использовать экспериментальный станок И. П. Павлова, жизнь иногда бывает и позначительнее этого станка.

Задание: «Спи моя радость, усни!»

Третьим дополнительным симптомом неврастении является нарушенный сон. Человек, попавший в руки усталости, часто чувствует себя сонливым в течение дня, и это не странно, потому что его мозг распался на множество самостоятельных «княжеств», а потому целенаправленная деятельность с высокой концентрацией внимания оказывается невозможной. Это-то и создает эффект сонливости в дневное время. А вот ночью у него могут возникнуть проблемы и по этой же самой причине — какие-то участки мозга пытаются заснуть, а другие, как шкодливые дети, утверждают, что спать они не хотят и не будут.

Как бороться с бессонницей, я написал в книге «Средство от бессонницы», правда, если вы находитесь в неврастении, нет необходимости выполнять все изложенные там рекомендации, это может оказаться вам не по силам, и вы только разнервничаетесь и расстроитесь.

Делайте только то из описанных там техник, что доставляет вам удовольствие. Вообще-то говоря, священная обязанность человека, страдающего неврастенией, — избегать любых нагрузок и любого напряжения (за исключением тех нагрузок, которые описаны в этом пособии и направлены на лечение самой неврастении).

Главное, что нужно сделать неврастенику, чтобы справиться с бессонницей — это изменить свое отношение ко сну. Подобная рекомендация может показаться странной, но право, она дорогого стоит. Помните главное правило — если у вас возникли проблемы со сном, то ваше отношение к нему неправильное. Вы, по всей видимости, относитесь к нему или с недостаточной, или с избыточной серьезностью.

Если серьезности в этом вопросе вам недостает, то начните относиться к своему сну как к священному животному. Думайте о том, что сон — это то, что вас спасает, что он ваш добрый доктор Айболит. Научитесь его любить, дорожить им и беречь его. Не надо думать, что вы имеете на него какие-то права и можете им командовать (так к священным животным не относятся!). Воспитайте в себе почтение ко сну, думайте о нем, как о своеобразной магии: сон — это тот, кто приходит не спрашиваясь, тот, кто уходит не прощаясь.

Если в состоянии неврастении у вас наступает состояние сонливости, если вас неудержимо клонит в сон, никогда не сопротивляйтесь этому, подчинитесь с «волшебными словами на устах»: «Остановите Землю, я посплю!» и «Весь мир подождет!» Сон для вас — это то, чему вы служите, а не то, что служит вам. Поэтому все его требования должны выполняться беспрекословно и в полном объеме.

Правда, это не касается утренних часов. Не пытайтесь спать, когда сон уже начинает улетучиваться, когда от сна ваша голова уже, что называется, пухнет. Утренний сон иногда является даже более истощающим, чем его отсутствие. Не пытайтесь заставить себя спать в утренние часы, если чувствуете, что сон стал поверхностным и чутким.

В этом случае лучше поднять себя с постели, но дать себе при этом зарок, пообещать самому себе: «Сейчас я встану, но я отдамся своему сну по первому же его требованию!» Возможно, сон напомнит вам о себе днем, и тогда это нужно будет сделать. Но и тут действует это правило: если вы поспали час-полтора, а потом начинаете чувствовать, что в вашей голове начинается какое-то месиво из мыслей и снов, то не оттягивайте момент подъема — вставайте.

Теперь рассмотрим обратную ситуацию — вы относитесь ко сну слишком серьезно. Вам кажется, что спать — это важно, необходимо, что без этого вы не управитесь со своей неврастенией и т. п. В подобной ситуации вы ставите себя под удар бессонницы именно этим своим желанием. Тут, к сожалению, действует правило, которое лучше всего сформулировано в детской присказке: «Кто много хочет, тот мало получит». Действительно, чем больше мы хотим «спать нормально», тем больше мы подсознательно боимся, что нам это не удастся. А страх (в любом его виде) и сон — это две вещи друг другу прямо противоположные и, более того, взаимоисключающие.

Поэтому если вы относитесь ко сну слишком серьезно, не теряйтесь и не мучайтесь, а просто меняйте тактику. Не относитесь к нему, как к чему-то особенно важному и жизненно необходимому, обязательному и спасительному. Ну не идет к вам сон, и слава богу, не очень-то и хотелось! Да-да! Именно так, не теряясь и не стесняясь: «Мы и не хотим спать вообще! И даром не нужен нам ваш сон! Забирайте его подобру-поздорову!» Полагаю, что подобные тексты удивляют, но что поделать — сон такая штука, которая хочет, чтобы ее постоянно обманывали.

Когда у вас возникает желание спать, его, как это ни странно, можно спугнуть, озаботившись этой необходимостью. Сонливость и сон — они не любят настырного к себе отношения, они готовы прийти и поглотить нас, когда мы, напротив, не желаем этого категорически. Стоит нам в таком состоянии расслабиться, и вот уже глядишь — зеваешь, а еще какое-то мгновение — и спишь.

Возьмите себе на вооружение технику под простым названием: «Ничего не буду делать». Поиграйте в «буку»: чем бы ни пытался заняться ваш мозг — то ли попытками думать, то ли желанием уснуть, то ли какими-то действиями, ни на что не соглашайтесь. Встаньте в жесткую позицию — ничего не буду делать, ни думать, ни хотеть, ни делать. Проявите весь свой оппортунизм, какой только у вас есть! «Не хочу! Не буду! Не стану! Не заставите! Убирайтесь все к черту на кулички!» — это самые подходящие здесь тексты.

Это, конечно, странно, но такое наигранное сопротивление дает хороший снотворный эффект. Удивляться, впрочем, тут нечему, ведь вы таким образом снимаете с себя всякую ответственность за происходящее, а потому перестаете бояться и напрягаться, вникать в смысл собственных действий, что-либо думать и делать, даже чувствовать! А это — лучшие способы заставить наш мозг спать сном младенца.

Так что меняйте свое отношение к проблеме сна на противоположное. Как бы вы ни поступили — возбуждая в себе священный трепет перед сном или же, напротив, низводя его до роли ненужной вам безделушки, вы всякий раз работаете на свой сон. Что поделать, если он любит, чтобы его обманывали? В конечном счете, нам здесь правда не нужна, нас здесь наше психическое здоровье интересует.

Сон, как говорил кто-то из древних, это врачеватель души. Поэтому помочь себе наладить нормальный сон — это важное дело. Но проблема в том, что наш сон — это субъект капризный и своевольный, его нельзя принудить, заставить себя слушаться. Вот почему мы и предпринимаем столь странные маневры — меняем свое обычное отношение ко сну на противоположное. Если раньше мы относились к нему несерьезно, как к досадной необходимости, то теперь (по крайней мере, на время болезни) мы, напротив, обращаемся с ним, как с писаной торбой, относимся к нему, как к священному животному, и выполняем каждое его требование. Нам следует превратиться в «буку», сопротивляться сну, делать вид, что он нам не нужен, что нам «и не особенно-то хотелось». Сон — он как ребенок, станешь его так дурачить, и он мигом начинает делать то, что от него требуется. Конструктивные переговоры и взаимовыгодные контракты он, к сожалению, не приемлет.

Задание: «Эх, пустым пуста моя коробочка!»

Последним дополнительным симптомом неврастении, который мы здесь рассмотрим, является головная боль. Конечно, головная боль может возникать по тысяче самых разнообразных причин, но причины головных болей при неврастении, как правило, стандартны[*]. Если постараться быть максимально кратким, доходчивым и практичным, то следует резюмировать эту проблему следующим образом: существует три типа головных болей, возникающих по психологическим причинам.

Первый тип: головная боль, связанная с мышечным напряжением. Что это значит? У человека, испытывающего хронический стресс и

---

[*] Головная боль — это, конечно, отдельный разговор. И мы его продолжим самым подробным образом в книге «Средство от головной боли и остеохондроза», вышедшей в серии «Экспресс-консультация».

страдающего неврастенией, мышцы шеи становятся своеобразной муфтой, которая время от времени пережимает сосуды, идущие в голову. К делу подключаются также мышцы лба, челюстей, затылка и т. п. Вследствие этого печального события возникают головные боли, проявляющиеся ощущением внешнего давления, стягивания, натяжения. Человек в этом состоянии чувствует, что у него словно бы каска на голову надета.

Эта разновидность головной боли связана с избыточными эмоциональными и интеллектуальными перегрузками, без которых, как мы с вами знаем, неврастения не обходится. И здесь велика вероятность возникновения своеобразного порочного круга: человек тревожится, переживает, что приводит к возникновению головной боли; после ее возникновения он начинает тревожиться и переживать уже из-за этой головной боли — она или кажется ему мучительной и невыносимой, или же он начинает думать, что у него, возможно, развилась какая-то «ужасная болезнь», например, рак мозга или инсульт (об интенсивности тревоги в этом случае я и вовсе молчу!).

Для того чтобы справиться с этим типом головной боли, необходимо использовать специальные техники, предназначенные для расслабления мышц.

> Боли в затылке объясняются перенапряжением мускулатуры. Человек напряжен так, словно бы желает защититься от угрозы нападения сзади. Головная боль, локализующаяся на лбу над бровями и ощущаемая как обруч на голове, вызывается хроническим подниманием бровей, характерным для пугливого ожидания, которое читается по глазам.
>
> *Вильгельм Райх*

Вот самый простой способ: потяните голову вправо, затем влево, назад и вперед; поднимите брови вверх как можно выше, а затем зажмурьтесь; стисните зубы, а потом откройте рот максимально широко; наконец, потяните вверх плечи и позвольте им опуститься как можно ниже. Наконец, просто сделайте себе массаж.

Второй тип: головная боль, связанная с реакцией той части нервной системы, которая регулирует тонус сосудов. За регуляцию работ внутренних органов нашего тела, включая, разумеется, и сосуды, отвечает вегетативная нервная система, которая состоит из двух отделов-антагонистов — симпатического и парасимпатического. Так вот, парасимпатический отдел вегетативной нервной системы отвечает за расширение сосудов, а симпатический, напротив, за их сужение.

На фоне психологического стресса, а также при наличии системных сбоев в нервной регуляции, свойственных неврастении, в деле регуляции тонуса сосудов начинается полная неразбериха: в тот момент, когда бы следовало расширить сосуды, они сжимаются, и наоборот, когда надо было бы их сузить — они расширяются. Само по себе это не составляет никакой проблемы, можно сказать, что сосуды мозга делают зарядку, тренируются. Но субъективное состояние человека, конечно, весьма и весьма неприятно: в голове что-то пуль-

Привычка есть привычка, ее не выбросишь за окошко, а можно только вежливенько, со ступеньки на ступеньку, свести с лестницы.

Марк Твен

сирует, напрягается, мозг словно что-то пронзает. Может возникнуть также тошнота, головокружение и прочие неприятности.

Справиться с головной болью второго типа можно с помощью дыхательных техник. Мы, как правило, дышим урывками, словно бы крадем чей-то воздух. Хорошего в этом мало: у нас возникает кислородное голодание, нарушается вегетативная регуляция тонуса сосудов, и они начинают потихонечку сходить с ума. Положите одну руку на верхнюю часть грудной клетки, а другую — на пупок. Когда вы делает вдох, ваша нижняя рука должна подниматься, а верхняя почти не двигаться. После спокойного вдоха сделайте медленный выдох, намного дольше, чем вдох. Короткая пауза, и продолжайте — спокойно и равномерно.

Третий тип: головная боль, которая только кажется болью, а фактической болью не является, но, несмотря на это, неприятна до жути! Это значит буквально следующее: когда человеку психологически плохо (а «плохо» каждому из нас бывает часто), его мозгу нужно найти козла отпущения, который это «плохо» возьмет на себя. Примет, так сказать, удар. Голова подворачивается под это дело часто. В результате с головой на самом деле все в порядке, а ощущение, что она отваливается, на плечах не держится, что вот-вот треснет, как арбуз переспелый. Еще одна печальная особенность этой головной боли состоит в том, что никакие анальгетики на нее не действуют.

Как же справиться с этим подвидом головной боли? Тут, во-первых, нужно лечить саму неврастению (или депрессию, которая тоже может стать причиной таких болей), а во-вторых, запретить себе мысли «ипохондрического содержания». Человек, у которого что-то болит, склонен думать, что у него есть какая-то болезнь. Но, к счастью, это не всегда так. В неврастении человек действительно заручился болезнью, но она не телесного, а психического свойства. И не нужно выискивать у себя болезни, если врачи уверяют, что их у вас нет. Подобная настроенность лишний раз будет травмировать нервную систему, а потому симптомы мнимого недомогания будут только увеличиваться.

Головная боль — это естественное следствие перенапряжения. Перенапрягаются и сами нервные клетки, работая на пределе своих возможностей, перенапрягаются и сосуды, кровоснабжающие мозг, и даже мышцы, которые поддерживают голову. Все это естественно и не нужно этого пугаться. Как только вы поймете, что в головной боли как таковой нет ничего страшного, она потеряет к вам всякий интерес. С болью всегда так: фиксируешься на ней — она становится больше, забываешь про нее — и она проходит. Если же ко всему этому добавить еще немножко упражнений на мышцы шеи, дыхательных техник и психологической индифферентности, то эффект и вовсе не заставит себя ждать.

Глава четвертая
ПРОФИЛАКТИКА УСТАЛОСТИ

Как известно, лучшее лечение — это профилактика. Предупредить развитие неврастении значительно легче, нежели потом с ней бороться. Но это только на первый взгляд, потому что заранее никогда не знаешь, где тебе эта напасть повстречается. Кроме того, как мы с вами уже знаем, «больной пункт» часто очень долгое время воспринимается человеком как «нормальная проблема». То, что он просто без толку тратит силы, изводит самого себя и пытается ломиться в закрытую дверь, ему непонятно. Вот и получается, что мы оказываемся на крючке у неврастении «внезапно».

Какие тут могут быть профилактические рекомендации? Во-первых, самая общая — необходимо помнить, что о своем психическом благополучии следует заботиться постоянно, а не только тогда, когда гром грянет. Во-вторых, самая частная — если у вас возник «больной пункт», то не мучьте себя, обратитесь за помощью к специалисту — врачу-психотерапевту (ничего более конкретного я, к сожалению, не могу здесь порекомендовать, поскольку подобные вопросы решаются исключительно индивидуально). И, наконец, в-третьих, соблюдайте общие правила, о которых мы сейчас и будем говорить.

> Дальновидный человек должен определить место для каждого из своих желаний и затем осуществлять их по порядку. Наша жадность часто нарушает этот порядок и заставляет нас преследовать одновременно такое множество целей, что в погоне за пустяками мы упускаем существенное.
>
> *Франсуа Ларошфуко*

Знаменитый русский вопрос...

Знаменитый русский вопрос: что делать? Как известно, всегда лучше предотвратить неприятность, нежели потом исправлять то, чего наворотил. Правила предупреждения неврастении, в целом, достаточно просты.

Во-первых, следует соблюдать режим труда и отдыха, у каждого, конечно, он свой, но он должен обязательно быть. Нашей психике значительно удобней жить по графику; когда же ее постоянно дергают, она может заартачиться.

Во-вторых, нужно хорошо понимать, что такое отдых. В свое время было очень популярно выражение «активный отдых». Конечно, побывать на свежем воздухе, размять собственное тело — дело хорошее. Но нужно помнить, что такой, с позволения сказать, отдых может превратиться в настоящую работу. Если вы чувствуете усталость, то необходимо дать себе возможность тихого и спокойного отдыха. Перекапывание грядок или пятичасовое бегание за мячом — это не то, что нужно, чтобы понастоящему отдохнуть.

В-третьих, следует упорядочить и собственную работу. Не надо стремиться к какому-то общему идеалу, у каждого из нас свой запас сил: для разных людей один и тот же объем работы может быть и недостаточным, и избыточным. Перегрузки даже в молодости — перегрузки, а после 40 — в особенности. Пощадите свой организм! Если же есть возможность сочетать попеременно труд умственный и труд физический — обязательно ею воспользуйтесь.

Впрочем, эти рекомендации хороши лишь в том случае, если мы умеем эффективно справляться со своими психологическими проблемами, ведь именно они являются нашими проводниками в долину неврастении. Сейчас мы обсудим несколько рекомендаций на этот счет. И начнем с самой простой, о которой следует помнить при появлении первых симптомов неврастении.

Чаще всего подножку нам ставят наши собственные устремления — мы хотим чего-то добиться, а оно нам не дается, мы гонимся за этим, тратим силы, а в результате истощаемся, так и не получив желаемого. Этой целью может быть все что угодно. Для влюбленного эта цель — взаимность со стороны любимого человека. Для человека, делающего свою карьеру — это карьерный рост. Цель человека, желающего найти поддержку в своей семье, — понимание со стороны близких. Цель человека, желающего поправить свое финансовое состояние, — это деньги. Для человека, надеющегося на удачу в каком-либо предприятии, целью является эта удача. Короче говоря, у нас всегда есть повод для беспокойства — страх не достичь желаемой цели.

Стремление к своей заветной цели — вещь хорошая. Однако достижение наших целей не всегда и не в полную меру зависит от наших поступков.

> Я ошибался, но я никогда не допускал ошибки, утверждая, что никогда не ошибался.
>
> *Джеймс Гордон Беннетт*

Получится или не получится — решает судьба, мы же делаем то, что в наших силах, чтобы она выказала нам свою благосклонность. Но быть уверенным в этой благосклонности трудно и вряд ли оправданно. Вот почему так важно правильно настроиться, подготовиться к любому повороту событий.

Возможно, нас ждет неудача, возможно, потраченные нами усилия не приведут к заветной цели. Но не стоит по этому поводу расстраиваться. Потраченные силы и полученные результаты (пусть и далекие от желаемых), возможно, сгодятся для чего-то еще. Да и никогда нельзя знать наверняка, что наша цель, то, к чему мы стремимся, нам действительно нужно. Может статься, что взаимность, которую мы ищем, хороша только в нашем представлении, а на деле не принесет нам никакого счастья. Карьерный рост — это, конечно, хороший план, но, может быть, именно из-за наших карьерных успехов нам и придется потом по-настоящему страдать. И это касается абсолютно любой нашей цели.

Так что если мы хотим защитить себя от неврастении, давайте научимся думать так: «У меня есть цель (или цели), то, чего я хочу. И я сделаю все, что смогу, чтобы добиться этой цели, потому что мне кажется, что это правильно. Однако если у меня не получится, если поставленная цель не будет мною достигнута, я не буду расстраиваться. Возможно, что я и ошибся с выбором своей цели. Возможно, достижение этой цели не может принести мне счастья. И если не получится тут, то получится где-то в другом месте и с другой целью. Важно же не конкретное достижение, а то, какой будет его отдача в моей жизни».

И всякий раз когда вы чувствуете, что начинаете задыхаться на бегу, догоняя свою маячащую где-то на горизонте цель, вспомните о том, что это, возможно, только мираж. Подумайте о том, что, догнав свою цель, вы обретете лишь дополнительные трудности, а вовсе никакое не личное счастье. Вспомните, подумайте и продолжайте свое движение к этой цели, но теперь спокойно, без напряжения и суеты. Этим вы защитите свой мозг, защитите самих себя, а потому ваши шансы на успех только возрастут. Отказ от цели иногда дает больший эффект, нежели настойчивые требования выдать его нам на руки.

Зачем мы переживаем из-за неприятностей?

Что такое «больной пункт»? Это болезненная фиксация на отдельно взятой проблеме, когда мы начинаем переживать и мучиться просто из-за того, что нам вдруг показалось — жизнь наша кончилась, ничего-то у нас не получается, все плохо. Чего греха таить, мы пострадать любим. Находим в этом, так сказать, некое для себя утешение. Не зря же мы преувеличиваем свои трудности, возводя их в ранг проблем!

Кажется, что во всем этом есть какой-то смысл, но так ли это? Для начала давайте проясним несколько важных моментов.

Обычно когда нам задают вопрос, зачем мы занимаемся той или иной деятельностью, мы отвечаем на него так, словно бы это вопрос о причине, тогда как на самом деле это вопрос о смысле. Например, нас спрашивают: «Зачем ты расстраиваешься?». Мы отвечаем: «Я расстраиваюсь, потому что меня обманули!» Это неправильный ответ. Он был бы правильным, если бы нас спросили: «Почему ты расстраиваешься?» Но если в данном случае нас спрашивают не «Почему?», а «Зачем?», и отвечать нужно, указывая не причину, вызвавшую это действие, а смысл действия. То есть мы должны ответить, какой в этом нашем поступке смысл, зачем мы его совершаем, какова его цель.

Когда мы совершаем то или иное действие, мы автоматически — сознательно или подсознательно — рассматриваем это действие как имеющее некий смысл. Мы не будем совершать какое-либо действие, если в нас нет уверенности, что оно имеет хоть какой-то смысл. Например, мы не будем просто так выкапывать в земле метровую яму, а потом закапывать ее обратно. Если у этого действия есть какая-то цель, то мы, конечно, эту яму выкопаем, но если цели в этом мероприятии нет, то пусть и не надеются! То есть осознаем мы это или нет, но,

> Пессимисты напоминают, что лилии принадлежат к семейству луковичных, а оптимисты — что лук принадлежит к тому же семейству, что и лилии.
>
> *Йолайн Диппенвейлер*

совершая какое-то действие, мы подспудно пред-полагаем некий смысл в том, что мы делаем.

Теперь, когда эти два нюанса проблемы ос-вещены, мы переходим к сути вопроса. Страда-ние — это некий акт, т. е. грубо говоря, дей-ствие. Если мы страдаем, то, вероятно, полага-ем, что в этом действии есть какой-то смысл. Почему мы думаем, что страдание имеет смысл? Например, страдание помогало нам в нашем детстве для получения каких-то благ. Иногда подобная тактика оказывалась эффективной и во взрослой жизни. Однако в большей части случаев мы страдаем без всякого эффекта, т. е. кроме собственных слез и переживаний ничего путного из этого действия не выходит.

Теперь нам остается только разобраться, имеет ли наше страдание какой-либо смысл (т. е. есть ли от него прок), или нет. Если мы сможем уяс-нить для себя, что это действие бессмысленно и кроме убытков ничем нас порадовать не мо-жет, мы, в буквальном смысле этого слова, тех-нически не сможем страдать (испытывать стра-дание). **Таким образом, для того чтобы изба-виться от этой иллюзии — иллюзии страда-ния — нам необходимо просто задать себе следующий вопрос: «Зачем я страдаю?».**

Разумеется, когда вы задаете себе этот во-прос, вы должны отвечать на него честно и точ-но. Если в вашем страдании есть какой-то смысл, если оно преследует определен-ную цель и может дать жела-

> Искусство быть мудрым состо-ит в умении знать, на что не следует обращать внимания.
>
> Уильям Джеймс

емые результаты, а вы согласны за эти результаты платить такую цену, то пожалуйста, страдайте столько, сколько посчитаете нужным. Однако если вы обнаруживаете, что в вашем страдании нет никакого смысла, что оно ничего вам не дает, что оно бессмысленно, вы просто технически не сможете страдать. **Само это действие — страдание — покажется вам бессмысленным и пустым занятием, вам просто не захочется его делать, вам расхочется страдать.** А это самое важное: если ты не хочешь страдать и не веришь своему страданию, само страдание теряет над тобой всякую власть.

В народе говорят: «Слезами горю не поможешь», и мы готовы с этим согласиться. Но если, несмотря на это свое формальное согласие, мы продолжаем страдать, значит, мы где-то глубоко внутри самих себя все еще верим в то, что страдание может иметь какой-то смысл. И только осознавая бессмысленность страдания, мы перестаем страдать. Что ж, у нас всегда есть выбор, который можно и нужно совершить, задав себе простой вопрос: «Зачем я страдаю?» Ответ, должно быть, ясен: «Незачем!»

Страдать, переживать и мучиться способен только тот, кто совершенно не дорожит своей жизнью. Конечно, для всего этого у нас есть «достойные поводы», но есть ли во всем этом «достойный смысл»? И этот вопрос — отнюдь не праздный! Зачем, ради чего и с какой целью мы расстраиваемся и потчуем себя негативными чувствами? От них никому не становится легче, а нам — и подавно! Но это нужно понять,

ощутить, в противном случае мы просто не сможем остановить эту страшную машину собственного страдания. Однако же если мы осознаем бессмысленность своего страдания, то оно потеряет всякое свое очарование, превратится из священной силы в бессмысленную безделушку, а нам, собственно, только того и надо.

А что вы хотите?
У вас же переходный возраст!

Неврастения, как мы с вами уже знаем, подкарауливает нас в самых неожиданных местах. Но есть периоды в жизни человека, когда он особенно уязвим, и традиционно их называют «переходным возрастом». При этом все почему-то клятвенно уверены в том, что переходный возраст заканчивается с получением паспорта. Действительно, очень хочется в это верить. Но неумолимая медицинская статистика гласит: больше всего самоубийств (а это очевидный признак психологического неблагополучия) приходится на период с 21 до 60 лет. Так что господа ученые со счету сбились, выясняя количество переходных возрастов. До семи штук к 18 годам насчитали! Дальше — больше...

Переходный возраст — время, когда у человека одновременно изменяются его социальные отношения и функционально перестраивается организм. Всякий знает, что организм человека окончательно формируется к 21 году, но не умирает же он после этого! Потом вступление в брак и рождение детей — происходит значительная перестройка гормонального фона и т. п. Все вроде бы к лучшему, но вы же знаете, что такое «перестройка»! Хотели как лучше...

Мне 30! К тридцати годам, кажется, все устроилось, но ведь ситуация новая, нужно приноравливаться. То, что для сознания хорошо, для подсознания — катастрофа! Если же у подсознания дела плохи, то и сознанию не поздоровится. Ну а если развод, например? Отношения-то уже не те, на голом энтузиазме далеко не уедешь. А если, не дай бог, увольнение или же просто неудовлетворенность работой, перспективой? Это стресс, дорогие мои, т. е. напряжение всех функций организма. Вот вам и переходный возраст, здрасьте...

Синдром «пустого гнезда». К сорока годам, когда дети выросли и улетели, наступает долгожданный кризис среднего возраста. Мужчины уверяются, что уже пережили пик своей сексуальной формы, командовать больше неким, дружеские связи ослабели, смысл жизни потерян, начинается депрессия. У женщины проблемы, может быть, даже побольше будут: свободное время появляется, его на себя нужно тратить, а разучились уже. За мужем, что ли, ухаживать? А чего ради? Кроме того, работа, которая раньше была на последнем месте, выходит теперь на первое, и выясняется, что это совсем не та работа! Старики разболелись, ворчат... Одним словом — кризис, россиянину объяснять не нужно.

Климакс. Дальше, мужайтесь, климакс. Женщины, конечно, в авангарде — приливы, отливы... Но и у мужчин, знаете ли, тоже бывают климаксы, не все коту масленица! Страхов, неуверенности и внутреннего напряжения у каждого столько, что легион можно было бы обеспечить, еще НЗ останется. В африканских племенах, если у женщины начинается климакс, они праздник устраивают. А как же, теперь делай что хочешь, и без последствий!

> Всякая человеческая голова подобна желудку: одна переваривает входящую в оную пищу, а другая от нее засоряется.
>
> *Козьма Прутков*

В «цивилизованном» обществе все иначе. Начинаем судорожно подводить итоги, как правило, неутешительные и, сбиваясь, исполнять лебединую песню под едва различимые звуки духового оркестра. Оптимизм почтальона из Простоквашино относительно пенсионного возраста испытывают далеко не все. Тут еще и врачи со своими шуточками: если вам за 50, вы проснулись и у вас ничего не болит — знайте, что вы умерли.

Осень золотая. Впрочем, есть и хорошая новость: кто в России доживает до 60 лет, те, что называется, до старости живут. Таких голыми руками не возьмешь: огонь, вода и медные трубы сделали свое дело. Можно не волноваться. Впрочем, и здесь есть свои проблемы. Здоровье, одиночество, разочарование и т. п.

На диком Западе считается за правило иметь своего психотерапевта. Почему? Наверное, потому что там думают о людях, а люди думают о себе. Если же они думают о себе, то знают, что у них переходный возраст. Как ни странно, серьезные жизненные коллизии теряются за повседневностью, но повседневность становится от них невыносимой. С этим нужно разбираться, а не ждать, пока все разрешится само собой.

«Мне уже поздно!» — это программа. Когда вы это говорите, вы себя обезоруживаете, вы скисаете и сбрасываете обороты. Так не годится! Пока человек жив, у него постоянно вырабатывается энергия, если ее не использовать целесообразно, то она будет использоваться нецелесообразно. Вместо одной проблемы вы получите сразу комплект. Обсудим три типичные ошибки губительного использования собственных ресурсов.

Слово «хороший» имеет много значений. Например, если кто-то застрелил свою бабушку на расстоянии полукилометра, я назову его хорошим стрелком, но не обязательно хорошим человеком.

Гилберт Кит Честертон

Первый: «**бегство в болезнь**». Заниматься своим здоровьем можно и нужно, но бегущий в болезнь занимается своим нездоровьем. Это две большие разницы. Болезнь позволяет реализовать потребность в любви и сочувствии к себе, но это любовь извращенца. Любить нужно достойное любви, мы же любим говорить о своих болячках, лечиться хромотерапией и мотаться по экстрасенсам. На это уходит бездна энергии, а ваша собственная жизнь остается не у дел.

Второй: «**жить другим**». Когда человек ощущает внутреннюю пустоту, он пытается заполнить ее другим человеком. Так можно делать, но потом не нужно сетовать, что кто-то там неблагодарный.

Третий: «**до и после**». Многие люди до определенного времени живут мечтами о будущем, после чего сразу начинают жить прошлыми воспоминаниями. Жить по-настоящему можно и нужно только сейчас, а не вчера и не завтра. Оглядитесь по сторонам, встрепенитесь, возможностей масса, только не нужно паниковать. Когда определились — ныряйте в жизнь! Не ждите, ждать нечего: то, что можно сделать сегодня, завтра уже нельзя будет сделать.

В 40 лет уже поздно ходить в детский сад — это правда. Когда человека перестают водить за ручку, он почему-то отчаивается, а следовало бы кричать «Аллилуйя!».

Как мы сами себя доводим

В рейтинге наших психологических ошибок одно из первых мест занимает ошибка преувеличения опасности и трагичности наших жизненных перипетий. Надо ли говорить, что подобные преувеличения ведут нас прямиком к состоянию неврастении? Но так ли часто мы в нашей жизни встречаемся с настоящими катастрофами? Если вычесть не относящиеся к делу сводки новостей, то окажется, что подлинные катастрофы в жизни человека — это нечто исключительно редкое. Но мы все-таки склонны к драматизации, переоцениваем значимость тех или иных событий, а потому живем с ощущением того, что катастрофы в нашей жизни — явление заурядное. Как избавиться от «лишних» катастроф?

Без всякого преувеличения, наш злейший враг — это драматизация. Мы склонны преувеличивать тяжесть наших проблем, кстати, именно поэтому мы называем стоящие перед нами задачи этим словом — «проблемы». Любая неприятность способна вогнать нас в самую настоящую депрессию именно потому, что мы склонны впадать в отчаяние, страдать и заламывать себе руки, а также кусать локти и параллельно выть на луну. Как часты в нашем репертуаре восклицания: «Это ужасно!», «Это катастрофа!», «Как жить дальше?», «Все пропало!». По сути, это самые настоящие инструкции, буквально вменяющие нам пассивность и бездеятельность. Но при подобной жизненной политике далеко не уедешь.

Признаемся себе, мы любим искать виноватых, рассказывать о том, почему что-то невозможно, определять и пестовать причины наших бед и несчастий. Разумеется, после того как мы на все 100% объясним себе, почему «все плохо», почему «жизнь кончилась», почему «трагедия неизбежна», она, и вправду, оказывается таковой. Впрочем, и в этом случае «трагедия» — это только название. В действительности трагедия — это театральное действо, в котором все мы преуспели, и очень, надо признать, профессионально.

Но что значит это «все плохо»?.. Уж прямо так и все? А что значит «жизнь кончилась»? Знаете, когда она кончится, то вы этого даже не заметите, а уж восклицать что-либо точно не будете. Да и «неизбежность трагедии» или «катастрофы» — это чистой воды иллюзия. Конечно, неприятности в нашей жизни встречаются, никто этого отрицать не будет, но называть эти неприятности «трагедиями» и «катастрофами» или не называть — это сугубо наше личное дело. Назовете «катастрофой» — будет катастрофой, а назовете «жизненным обстоятельством» — будет жизненным обстоятельством, причем рядовым, в числе других.

То, что мы традиционно называем «несчастьями», «трагедиями» и «катастрофами», — это просто события, которые разрушают нашу картинку будущего, наше представление о нем, но вовсе не само наше будущее, которого, как вы, наверное, догадываетесь, еще нет, а потому и разрушить его крайне затруднительно. Действительно, некоторые события способны существенно изменить наши планы, возможно, вследствие тех или иных обстоятельств нам придется круто изменить траекторию. Но как это ни парадоксально, может статься, это и к лучшему! Быть может, засиделись мы в

> Оптимизм — это доктрина, утверждающая, что все прекрасно, включая безобразное, все хорошо, особенно плохое, и все правильно, в том числе неправильное... Доктрина эта передается по наследству, однако, к счастью, не заразна.
>
> *Амброз Бирс*

181

нынешнем своем состоянии, вот судьба и дает нам пинка, чтобы начали двигаться. Знаете, тем, что мы зовем «катастрофами», судьба часто пытается помочь нам, преодолевая нашу нерешительность своей неизбежностью.

Впрочем, драматизироваться можно и совершенно на пустом месте. Кто-то драматизирует вопрос собственной несостоятельности; кто-то — переживает из-за высказанных кем-то на его счет оценок; кто-то недоволен собственным образованием и клянет судьбу; кто-то болезненно обеспокоен своей внешностью, стройностью, фигуристостью; кто-то полагает себя неизлечимо больным, тогда как на самом деле действительных причин для беспокойства нет никаких. В общем, у каждого, как говорится, свои тараканы, но все они откормлены самым выдающимся образом, нами же и откормлены. Мы взращиваем собственные проблемы так, словно бы они наши близкие и дорогие родственники. Мы их пестуем, вместо того чтобы гнать поганой метлой.

Помните, если вы хотите быть успешными, делать из мухи слона категорически запрещается! Мы, как правило, существенно преувеличиваем тяжесть тех или иных трудностей и неприятностей, что лишает нас конструктивности, делает нас неэффективными управленцами собственных психологических ресурсов. Просто уберите от греха подальше из своего словарного запаса такие слова: «трагедия», «проблема», «катастрофа», «ужас»; вы даже не заметите, как вам сразу станет легче жить.

Корней Иванович Чуковский даже написал по этому поводу сказочку. В ней рассказывается о том, как «рыжий и усатый та-ра-кан» одним своим появлением задраматизировал всю уважаемую звериную общественность. Слоны и носороги — и те «по канавам, по полям разбежалися» и тряслись в указанных местах, готовые пойти на все, выполнять самые чудовищные требования террориста. А тот восклицал: «Принесите-ка мне, звери, ваших детушек, я сегодня их за ужином скушаю!» То, что проблема (в смысле — таракан) и выеденного яйца не стоит, мы узнаем лишь при появлении воробья, который «взял и клюнул таракана — вот и нету великана... и усов от него не осталося». Но для этого необходимо отказаться от драматизации, перестать преувеличивать тяжесть «обрушившихся» на вас проблем.

Как это сделать? Просто перестать драматизировать! Никаких катастроф не происходит, а трудности — это только трудности. И на то они и трудности, чтобы с ними справляться, а впадать в эмоциональный паралич — дело и глупое, и бессмысленное. Сам этот эмоциональный паралич и создаст настоящую проблему! И если чего-то нам и следует бояться, то только того, что мы изведем себя до состояния нервного истощения и окажемся в неврастении. Это страшно, а трудности — это, как говорил Карлсон, дело житейское.

> Когда нет сил ни двигаться, ни говорить, ни думать, ни вообще жить и не отчаяние ощущаешь, а пустоту и безразличие ко всему на свете, включая самого себя, — это принято называть депрессией.
>
> *Игорь Губерман*

Преувеличение хорошо тогда, когда нам от него становится лучше. Скажите себе, какой вы замечательный или замечательная, сколько в вас всего хорошего, какой вы молодец и сколько всего умеете, сколько людей вас любят, ценят, интересуются вами и т. д. Скажите и почувствуйте приятную душевную истому — пожалуйста, у доктора нет никаких возражений! Но зачем, скажите на милость, вы делаете то же самое, когда дело касается неприятностей? Зачем вы преувеличиваете их значение, думаете о них, как о «роковых», «непоправимых», «тягостных» событиях? Нет, право, так не годится. К неприятностям нужно относиться легче, они ведь, по правде сказать, и не заслуживают того, чтобы мы на них так тратились.

Как контролировать свои мысли и чувства?

Появление «больных пунктов», конечно, хорошо бы контролировать. Но как это сделать? Здесь весь секрет заключается в системе подчинения. Важно, кто кому подчиняется — вы вашим мыслям и чувствам или ваши мысли и чувства вам. Вопрос этот принципиальный, поскольку если вы можете контролировать свои мысли и чувства, то «больные пункты» будут вами своевременно выявлены и нейтрализованы, а следовательно, вы сможете предотвратить развитие у себя неврастении.

Мы свято уверены в том, что наши мысли — это *именно наши* мысли, что это *именно мы* их придумали, что это *именно мы* их думаем. Конечно, так оно и есть, но это только половина правды. С другой стороны, это чистой воды заблуждение. То, что мы думаем, — результат множества обстоятельств, в которых мы оказались и оказывались раньше. Если бы мы воспитывались и жили иначе — в другое время, в другой стране, то мы бы и думали иначе. Но ведь и в этом случае мы были бы самими собой. Таким образом то, что мы думаем — это не только наши собственные мысли, а также мысли, которые возникли у нас по каким-то независящим от нас причинам.

С чувствами — тот же парадокс. Наши чувства — это, во-первых, наша реакция на обстоятельства, от которых, собственно, здесь все и зависит. А во-вторых, это — прямое отражение состояния нашего мозга. Если мы переутомлены, т. е. наш мозг переутомлен, то мы испытываем одни чувства. Если наш мозг, напротив, возбужден, то мы переживаем совершенно иное. Если нам под кожу ввести адреналин, то мозг возбудится, и мы будем испытывать тревогу и нервное напряжение. А если принять таблетку какого-нибудь успокаивающего, то нам, напротив, полегчает.

Наши мысли и чувства — это в значительной степени производное внешних, не

Если за последние несколько лет вы не отказались от какого-нибудь из своих основных убеждений или не обрели новое, проверьте свой пульс. Возможно, вы мертвы.

Джелетт Бёрджесс

185

зависящих от нас факторов. С другой стороны, следует помнить, что это *наши* мысли и чувства, какими бы дурными и ненормальными они нам ни казались. А потому мы способны оказывать на них влияние, изменять их в соответствии с собственными пожеланиями.

Когда человек думает, что ему жизнь не мила, с жизнью, возможно, у него как раз все в порядке. Просто в его мозгу, истощенном тревогой, недостает специального фермента — серотонина (его часто называют «гормоном радости»). Недостаток серотонина и приводит к формированию депрессии, а мысли и чувства, которые такой человек в этом случае испытывает, это не его мысли и чувства, а мысли и чувства его депрессии. Потом, когда доктор назначит такому человеку антидепрессант (лекарственный препарат, который увеличивает количество серотонина в мозгу), он перестанет так думать. Спрашивается: и чего стоили все эти его мысли и чувства, которым он так чистосердечно верил?! Конечно, лично он имел к ним самое посредственное отношение, а вот его депрессия работала в качестве своеобразного пресс-атташе.

Однако не все из нас это понимают, а потому начинают корить себя, как мачеха падчерицу из хрестоматийных сказок: «Совсем я расклеился! Во что я превратился! Господи, как же я жалок!». Все эти мысли, как нетрудно догадаться, тоже принадлежат депрессии. Но человек, находящийся в депрессии, не замечает и этого. Он всей этой чертовщине верит. И жить действительно не хочется, причем самым категорическим образом. Но в том-то вся и штука, что этим мыслям и чувствам нельзя верить, нельзя думать, что они отражают объективную действительность, отвечают нашим мыслям и чувствам. Они выражают мнение нашей депрессии, которая придет и уйдет, а вот мы, если будем ей верить, от нее настрадаемся.

Человек, испытывающий мысли и чувства депрессивного, тревожного или агрессивного содержания, должен рассматривать их как следствие своего состояния, но не как проявление собственного существа. Образно выражаясь, можно сказать, что он должен с ними развестись, посмотреть на них как будто со стороны, как на некое состояние, которое временно его посетило, сейчас мучит, но скоро пройдет.

После того как вы «развелись» со своими неприятными мыслями и чувствами, отстранили их от себя, позволили им быть, но не позволили считаться «вашими», вы сняли с себя ответственность за весь этот бред. Да, ваше состояние думает о жизни такие гадости, да, оно испытывает бессмысленные и вредные переживания. Но оно — это оно, а вы — это вы. Если вы оформите с ним «развод», то немедленно почувствуете облегчение, а в голову сразу же придут другие — ясные — мысли и приятные чувства. С ними «разводиться», конечно, не нужно. К ним нужно «свататься»...

Берите на себя ответственность только за те собственные мысли и чувства, которые носят

> Наслаждаться счастьем — величайшее благо, обладать возможностью давать его другим — еще большее.
>
> *Френсис Бэкон*

позитивный и конструктивный характер. Собирайте их по крупицам и придерживайтесь их свято, отстраняя от себя все негативные чувства и переживания. Впрочем, подобный метод будет эффективен только в том случае, если количество серотонина в вашем мозгу достаточное. Если же серотонина в вашей голове не хватает (а выражается это не только тревогой и депрессией, но еще и нарушениями сна), то здесь нужна уже помощь специалиста, который поможет и мысли дурные разогнать, и лекарственные препараты назначит. Доктора этого зовут психотерапевтом, не экстрасенсом и даже не психологом, а именно врачом-психотерапевтом.

В неврастении взять под уздцы свои мысли и чувства, конечно, не представляется возможным, для этого нужны силы, и силы немалые. Но если этого не сделать до наступления неврастении, то она наступит — это как пить дать! Так что здесь действует ленинский принцип: «Вчера было рано, а завтра будет поздно». Возьмите себе за правило относиться к своим мыслям и чувствам не просто как к своим мыслям и чувствам, а как к продукту работы нервно-психического аппарата. Всем, кто когда-либо переживал неврастению, должно быть хорошо понятно, насколько сильно мы зависим от этого состояния, насколько от этого состояния зависят наши мысли и чувства. Так что, не относитесь к ним слишком серьезно, в конечном счете, это только мысли и только чувства, а есть еще мы сами — и это куда важнее!

Научный факт:
«И до депрессии четыре шага...»

Часто меня спрашивают: «Какая разница между депрессией и неврастенией?» Вопрос законный, тем более что две эти «бяки» друг с другом связаны. Механизмы возникновения депрессии и неврастении в целом разные, и об этом я уже рассказывал в книге «Средство от депрессии». Но длительное истощение нервных клеток также может вылиться в депрессию. Случается это в тех случаях, когда к астении присоединяются депрессивные мысли, но обо всем по порядку.

Главным признаком депрессии является сниженное настроение, по большому счету, его «вообще нет». Мир кажется серым и пустым, а чувство бессмысленности происходящего нагоняет такую тоску, что хочется в петлю или на мыло. У человека нарушается сон, снижается аппетит (зачастую до полного отвращения к пище), он худеет и буквально тает на глазах. Внутреннее напряжение может быть нестерпимым, а может начаться полная апатия. Прежние радости кажутся постными, удовольствие — чем-то загадочным и недостижимым.

Человек, страдающий депрессией, или безуспешно пытается чем-то себя занять, надеясь как-то избавиться от тягостных мыслей, или же ложится в постель и ничего не хочет делать. Он может стать озлобленным и раздражительным, может плакать днями напролет, а может не плакать вовсе, но от этого ему еще хуже. Мысли роятся в голове, крутятся вокруг одной темы — жизненных неудач, разочарований в работе или семье, у некоторых депрессивных пациентов начинаются разнообразные физические недомогания. Такова депрессия крупным планом.

«Не бывает следствия без причины», — любил говаривать И. П. Павлов, а ошибался он редко. У депрессии, как и у любого явления, конечно, тоже есть своя причина: иногда явная (гибель близкого человека, нежданное расставание, утрата работы и т. п.), иногда скрытая (когда у человека, кажется, все хорошо, а ему плохо).

В любом случае депрессия начинается с тревоги, часто незаметной, подспудной. Что-то у человека не ладится, изменяется привычный стереотип жизни, возникает множество мелких конфликтов, которые складываются в мозаику полной беспросветности. Все это приводит к возникновению тревоги, а тревога — очень тягостное для организма состояние — внутренний стресс и малый Чернобыль в одном лице. «Пики» тревоги подобны удару молота по наковальне.

Тут и выходит на сцену депрессия, которая, словно пелена, застилает, скрадывает эти злосчастные «пики». По сути, депрессия выполняет защитную функцию, она спасает организм от разрушительной силы, но депрессия не способна ликвидировать тревогу, она ее только прячет.

Что же это за пелена, застилающая собою тревогу? Это внутренняя речь — то, что человек думает во время своей депрессии. Знаменитый американский психотерапевт Арон Бек разделил думы «печальника» на **три рода депрессивных мыслей: мысли человека об окружающем его мире, его мысли о самом себе и о своем будущем.**

Мир представляется в депрессии несправедливым, жестоким, абсурдным и пустым. О себе человек думает, как о «твари дрожащей»: «я ничего из себя не представляю», «я неудачник», «я никому не нужен»... Понятно, что при такой оценке окружающего мира и самого себя будущее не кажется ему перспективным: «Жизнь и дальше исполнится страданий и лишений, которые я испытываю сейчас».

Нетрудно догадаться, как будет чувствовать себя человек, думая подобные гадости... Конечно, он испытывает тревогу, порочный круг замыкается: тревога — депрессия — тревога — депрессия. И чем дальше, тем хуже. Впрочем, проблема эта решаемая — можно обратиться за помощью к специалисту, а можно начать с книжки «Средство от депрессии».

Не через силу сильные

Впрочем, самым мощным средством профилактики неврастении является, как это ни странно, работа. Речь идет, разумеется, не о физической работе (хотя и она не отменяется), а о работе душевной. У сильного человека, как вы понимаете, куда меньше шансов заболеть неврастенией, нежели у слабого. Но откуда в нас берется наша сила? У нее два источника. Один в самой работе, которая и закаливает, и делает нас более самостоятельными, более востребованными. Второй источник нашей силы — в том, какое место мы занимаем в наших отношениях с другими людьми. Те из нас, кто постоянно пытается спрятаться за своими близкими, оказываются на порядок более уязвимы для истощения. Те же, кто, напротив, оберегает близких людей, обладают недюжинной психологической силой.

Здесь в очередной раз уместна аналогия с иммунной системой. Представьте себе, какой силой иммунной системы должна обладать дворняга, вынужденная коротать свой век не в домашних условиях, а под открытым небом.

Домашние питомцы куда более уязвимы для факторов внешней среды — и простужаются они чаще, и отравиться могут при любом удобном случае. И все потому, что их иммунная система не работала так, как она действует у дворняг. Разумеется, у последних жизнь — не сахар, но зато они имеют куда более серьезную защиту, нежели наши домашние четвероногие друзья. Так и с нашей нервной системой — если мы ее не прячем от жизненных невзгод, если мы ее тренируем, если мы готовы, что называется, брать огонь на себя, то и сила ее больше*.

Вот почему правило, которое я не устаю повторять, а именно — «мы нужны другим сильными» — является в высшей степени прагматичным. Но, к сожалению, не все мы это хорошо понимаем, и вместо того чтобы трудиться душой и защищать тех, кто нам дорог, мы ждем, что эту благородную миссию выполнят они — наши близкие. Исход такой политики, как правило, предрешен: нас одолевает тягостное чувство, что мы «никому не нужны».

В наших отношениях с другими людьми заложено странное, невидимое глазом противоречие: все люди нуждаются в поддержке и ждут ее от отношений с нами, но мы ведь тоже нуждаемся в такой эмоциональной поддержке и помощи! Мы ждем ее, ищем, жаждем и не находим. Страданию, право, есть теперь где разгуляться. Все ходят друг вокруг друга и надеются на то,

---

* О секретах такого подхода к жизни я, насколько это было в моих силах, рассказал в книге «Пособие для эгоиста (как быть полезным себе и другим)», вышедшей в серии «Карманный психотерапевт». Надеюсь, что описанные там способы улучшения качества жизни придутся кому-нибудь очень кстати.

что им окажут поддержку, а в результате, конечно, никто ничего не получает.

Наше массовое сознание может быть сколь угодно архаично, пестовать страдание и сочувствовать убогим, но в реальной жизни нами заинтересуются только в том случае, если мы будем излучать оптимизм и внутреннюю силу. Мы и сами, чего греха таить, заинтересуемся другими людьми только тогда, когда в них будет, чем заинтересоваться. А искренне вникать в их слезы, страдания, мольбы о помощи — право, удел немногих избранных.

И поэтому без толку сетовать, что мы, мол, никому не нужны. Потому что если мы это делаем — мы, и вправду, никому не интересны. Вот почему нельзя проникаться жалостью к себе и пестовать собственное страдание, вот почему мы должны гордиться тем, что мы сильные. Если же нам пока гордиться в этой части нечем, то данное недостающее качество необходимо в себе воспитывать.

Не пытайтесь быть через силу сильными, в какой-то момент вы не выдержите и треснете по всем швам сразу. Но мы можем быть сильными и без такой «натуги», для этого достаточно просто быть внимательными к своим близким и уметь о них заботиться. Человек — это социальное животное, мы нуждаемся в том, чтобы к нам хорошо относились (по крайней мере, наши близкие). В этом случае мы обязательно будем чувствовать себя хорошо и сможем справиться с любыми трудностями. Впрочем, для того чтобы это стало возможным, нужно приложить усилия; право, они, во-первых, окупятся, а во-вторых, это и само по себе приятно — мы ведь социальные животные.

В конечном итоге, если мы сами о себе не позаботимся, то никто о нас не позаботится. Если же мы страдаем и упиваемся собственной слабостью, то винить будет некого. Мы нужны другим сильными — это золотое правило отношений. И тот, кто его знает (а теперь его знаете и вы), должен делать первый шаг — нести эмоциональную поддержку другому, поскольку это единственный шанс — рано или поздно самому получить искомую помощь.

Но помните, что нельзя быть сильным в одиночку — это сила отчаяния. Жить с этим тяжело и не нужно. Берегите тех, кто готов стать лидером. Ободряйте силу другого, но следуйте за ним с ощущением собственной силы (иначе вы будете грузом, тянущим назад), и тогда все, что вы делаете — вы делаете вместе, и уже не имеет значения, кто совершает первый ход. Мы нужны другим сильными... даже будучи ведомыми.

И в этом нет ничего странного, неестественного или эгоистичного. В жизни и без того слишком много напастей и сложностей, чтобы кому-то еще недоставало постоянно находиться с человеком, не замечающим ничего, кроме собственного страдания. Физическая слабость — мелочь в сравнении со слабостью психологической, нет ничего хуже постоянного причитания, требований, жалоб, обвинений и обид.

Веселые люди делают больше глупостей, чем печальные, но печальные делают большие глупости.

Эвальд Христиан Клейсту

Глава пятая
ТАБЛЕТКИ
ОТ УСТАЛОСТИ

«А есть ли какая-нибудь таблетка от усталости?» — такой вопрос мне приходится слышать достаточно часто, и, как правило, он ста-
вит меня в тупик. Теперь, когда вы знаете о
неврастении столько, сколько вы о ней знаете,
наверное, вы меня поймете. Таблетки от усталости не может быть в принципе! Однако это
не значит, что медицинская наука оставила не-
счастных неврастеников без фармакологического
вспоможения. Впрочем, я сразу же должен оговориться, что это не лечение усталости, а помощь мозгу, точнее даже — помощь в нашей
работе с мозгом по восстановлению его пришед-
ших в упадок сил.

Для доктора фармакологическое лечение пациента, страдающего неврастенией, — это что-
то наподобие циркового номера. Жонглирова-
ние минимальными дозировками различных препаратов: тут повысить возбудимость, тут, напротив, понизить, тут придать мощи, там уст-
ранить дополнительные симптомы. Этого даже
в книжках для специалистов объяснить не могут — нужен опыт, чутье и индивидуальный
подбор. Учитывая все эти трудности, сейчас я
просто расскажу о тех средствах, которые в
принципе могут использоваться для лечения неврастении, а также о том, что ду-
мает доктор, назначая тот или
иной препарат.

Больного нельзя выле-
чить с помощью одного
только здравого смысла.
Эльза Триоле

Начнем с самого простого — с витаминов

Витамины — это вещества, которые принимают активное участие в обеспечении жизнедеятельности организма (к настоящему времени мы знаем как минимум о двух десятках веществ, которые отнесены в эту группу). То, что организму нужны витамины, я думаю, объяснять не нужно. Мы живем до тех пор, пока в нашем организме происходят запрограммированные генами химические реакции, и как раз для обеспечения этих химических реакций и нужны витамины. По большому счету, мы большая и необычайно сложная химическая лаборатория, а наша жизнь — это ее работа. Не будет этой работы, не будет и жизни. Так что витамины нужны...

Основная часть витаминов поступает в наш организм с продуктами питания, но какие-то синтезируются и им самим. Делятся они на две основные группы: жирорастворимые витамины (A, D, E, K) и водорастворимые (C, группа B и другие). Водорастворимые витамины участвуют в структуре и функционировании ферментов, а жирорастворимые витамины входят в структуру клеточных мембран, обеспечивая их оптимальное функционирование.

Микроэлементы (кальций, магний, калий, железо, медь, цинк и другие) не считаются витаминами, да и задачи у них попроще, но, как вы понимаете, это не всегда значит меньше.

Организм состоит из органов, органы из тканей, ткани из клеток, клетки из молекул, а молекулы из ионов — элементарных химических веществ. Так что мы с вами состоим из химических веществ, а потому и нуждаемся в химических веществах. Не будет их — и вся только что прописанная «матрешка» превратится в ничто.

При нашей жизни витаминов и микроэлементов в нас никогда не бывает столько, сколько нужно — их всегда или мало, или много, причем и то и другое плохо. Мы пополняем запасы витаминов и микроэлементов из внешней среды, часть витаминов, как уже было сказано, может синтезироваться у нас внутри, но и это не из вакуума происходит. Поэтому правильное и разнообразное питание, а не разнообразные выдуманные диеты — это то, что нам нужно.

Мы постоянно тратим и имеющиеся у нас в запасе витамины, и микроэлементы. Иногда мы делаем это умеренно, но при любых перегрузках организму приходится больше работать, а потому траты эти возрастают. Голодание, инфекции, нервно-психическое напряжение, а также вредные привычки (например, курение и алкоголизация) истощают запасы питательных веществ в нашем организме (белки, жиры и

Жил некогда один человек, он был мистиком и молился Единому Богу. И когда он молился, проходили перед ним хромой, голодный, слепец и отверженный; увидев их, он впал в отчаяние и в гневе воскликнул: «О Создатель, как можешь Ты быть Богом любви и ничего не делать ради того, чтобы помочь этим страдальцам?». В ответ не раздалось ни звука, но святой терпеливо ждал, и тогда в тишине прозвучал голос: «Я кое-что сделал для них... Я создал тебя».

Суфийская история

углеводы), а также имеющиеся у нас резервы витаминов и микроэлементов.

При неврастении возрастает потребность в большинстве известных витаминов и микроэлементов. Однако лимитирующими здесь, безусловно, оказываются те витамины и минеральные вещества, которые непосредственным образом отвечают за работу нервной системы. Вот почему при наличии у нас симптомов неврастении следует незамедлительно начать прием витаминных комплексов с микроэлементами. А также присовокупить к этому делу лекарственные препараты, которые содержат витамины группы В. Последние особенно необходимы нашей истощенной нервной системе.

И с витаминными комплексами, и с препаратами, содержащими витамины группы В, сейчас проблем нет никаких — достаточно прийти в аптеку и купить, мне остается добавить лишь пару подробностей. Первая — желательно, чтобы эти препараты были в так называемой кишечнорастворимой оболочке, тогда можно быть уверенным, что они хорошо и в нужных объемах усвоятся нашим организмом (из моей практики особенно хорош в этом смысле препарат «Нейромультивит»). Второе — хорошо, если изготовители витаминов предусмотрели возможность прямого проникновения витамина (или его «химического предшественника», т. е. вещества, из которого организм может сам синтезировать необходимый ему витамин) в мозг, а это непросто, если учесть сложные системы его химической защиты (примером такого препарата является «Энерион»).

Дозировки и витаминных комплексов, и отдельных витаминов всегда указаны на соответствующих аннотациях. Не пытайтесь поедать витамины в неограниченных количествах — ничем хорошим это не кончится. Хотя в первую неделю лечения вы действительно можете принимать чуть большую дозу витаминов и микроэлементов. О чем, впрочем, также можно найти соответствующие указания в упомянутых аннотациях.

Витамины, в частности витамины группы B, разумеется, есть и в обычных продуктах питания — мясе и печени, рыбе и морепродуктах, яйцах, отрубях, зерновых, пивных дрожжах, зеленом салате, бобовых и т. п. Но не следует думать, что в случае явного дефицита витаминов их недостаток можно быстро восполнить с помощью специальных диет (это достаточно наивно). «Искусственные» витамины все равно придется принимать, и при наших условиях жизни — это нормально.

Апгрейд мозга

Апгрейд на компьютерном жаргоне означает увеличение мощности и возможностей «искусственных мозгов», т. е. персонального ЭВМ. К счастью, медицина придумала средства такого апгрейда и для мозгов естественного производства. Эту роль выполняют так называемые ноотропы — вещества, которые оказывают влияние на состояние нейронных связей. Мы уже с вами говорили, что мозг представляет собой сложную систему, где отдельные его клетки (нейроны) связаны друг с другом посредством нервных окончаний. Информация в виде нервных импульсов бегает от одних клеток к другим, и получается что-то наподобие мозгового Интернета.

Во время неврастении из-за постоянных сбоев в этой системе связей происходит дезинтеграция деятельности мозга в целом. Вот ноотропы и помогают привести все эти связи в соответствие с нормой, а главное, способствуют тому, чтобы клетки стали адекватно воспринимать и передавать оговоренные импульсы. Причем делают они это максимально корректно, не вызывая побочных эффектов. Все это обусловлено спецификой действия этих лекарственных веществ — они не навязывают нервным клеткам своей политики (как это делают, например, транквилизаторы), а просто улучшают их физическую форму (по-научному это называется — улучшение нейрометаболизма и увеличение церебропротективных свойств).

Голова после курса ноотропов начинает лучше соображать, делает это быстрее и качественнее (неслучайно студенты-медики любят помочь себе таким образом перед экзаменационной сессией). Кроме того, мозг

Есть игры, в которых может выиграть только тот, кто верит в невозможное.

Агата Кристи

становится более устойчивым к воздействию различных «агрессивных факторов». Еще одним существенным достоинством ноотропов является их способность улучшать «качество связи» между корой и подкоркой; никаких откровений от подсознания здесь, конечно, ожидать не приходится, но увеличение слаженности работы мозга гарантировано.

Ноотропы (а к ним прежде всего относятся — ноотропил (пирацетам), энцефабол, аминалон) эффективны только при курсовом приеме, т. е. когда вы принимаете их не менее одного-двух месяцев. Дозировки, опять же, указаны в соответствующих инструкциях. Хотя, конечно, консультация врача при назначении ноотропов не помешает. Дело в том, что ноотропы используются с несколько разными целями — в одних случаях при психоастенических состояниях (неврастении), а в других случаях — после черепно-мозговых травм, инсультов и т. п. Поэтому и продолжительность курса, и дозировки должны быть подобраны правильно.

К ноотропам также относится транквилизатор фенибут (противотревожное средство). Он особенно хорош при лечении неврастении, поскольку действует на большинство патологических звеньев этой «болячки» — улучшает состояние мозговой ткани, снижает внутреннее напряжение, улучшает сон, уменьшает ощущение слабости и головокружения. Но и это средство не является

Космос вовсе не так уж далек. До него всего час езды, если только ваш автомобиль способен ехать вертикально вверх.

Фред Хойл

панацеей, а поскольку, паче чаяния, относится к транквилизаторам, то, соответственно, может назначаться только врачом и имеет другие ограничения, о которых мы скажем чуть ниже.

В последнее время особенно популярными стали биологические ноотропы — это препараты на основе экстракта листьев дерева гинкго билоба. При астенических состояниях они иногда оказываются даже более эффективными, нежели синтетические ноотропы. Плюс к этому препараты гинкго билоба обладают сосудистым эффектом, т. е. помогают не только клеткам мозга, но и сосудам, которые их кровоснабжают, что, как вы понимаете, немаловажно.

Так или иначе, мне трудно представить эффективную терапию неврастении без использования ноотропов — или синтетических, или растительных.

Нервы организма на нервах

Следующий компонент фармакологического лечения неврастении — это использование препаратов, которые обеспечивают стабилизацию работы вегетативной нервной системы. Стрессы и любые состояния, связанные с нервно-психическом напряжением, приводят к тому, что вегетативная нервная система, которая регулирует функции внутренних органов нашего тела, приходит в состояние «расстроенных чувств».

В других своих книжках я уже неоднократно рассказывал, что наши эмоции состоят из трех компонентов — психической, а также мышечной и соматической частей. Когда мы, например, боимся, у нас кроме тревожных мыслей в наличии имеются, во-первых, характерные мышечные напряжения, а во-вторых, специфические изменения в работе организма — усиливается частота сердцебиений, повышается артериальное давление, увеличивается потоотделение и т. п.

Если же мы длительное время перенапрягаем посредством различных стрессов свою вегетативную нервную систему, то она может, образно выражаясь, сойти с ума. В этом случае она отдает органам нашего тела противоречивые команды, и тогда уже сами органы доходят до соответствующей кондиции. Ни с того ни с сего у человека возникают сердцебиения, увеличивается потливость, может подскочить артериальное давление, возникнуть какие-либо трудности с желудочно-кишечным трактом.

В целом, конечно, ничего страшного, но и хорошего мало. Находясь в таком состоянии, организм уже не способен адекватно реагировать на внешние обстоятельства своей жизни — стрессы, нагрузки и т. п. Это самым непосредственным образом сказывается и на работе мозга — ему с сумасшедшим организмом сложно. Так что можно сказать, что затеянный им стресс находит способ вернуться ему обратно — бумерангом.

Вот почему так важно помочь своему организму качественным лечением вегетативной нервной системы. И тут есть еще один нюанс — люди, находящиеся в стрессе и страдающие неврастенией, часто пытаются «лечить» или стимулировать себя различными травами и настойками, а это не всегда безопасно. Многие из лекарственных растений, например, настойки женьшеня и элеутерококка, способны увеличить дисбаланс в системе нейровегетативной регуляции. Они стимулируют симпатический отдел вегетативной нервной системы, тогда как часто нужно помогать как раз парасимпатическому ее отделу.

В общем, иногда здесь возникают трудности, а потому лучше использовать лекарственные средства, которые обладают вегетостабилизирующим действием (т. е. приводят работу обоих отделов вегетативной нервной системы в паритетные, сбалансированные отношения друг с другом, а также в соответствие с действием факторов окружающей среды). К ним в первую очередь относится специальный подвид транквилизаторов, т. е. собственно вегетостабилизаторы — грандаксин и пирроксан.

Здесь, впрочем, я должен специальным образом оговориться. Хотя эти препараты и характеризуются высокой степенью безопасности, но поскольку это транквилизаторы (пирроксан — в меньшей степени), то: во-первых, их самоназначение вне врачебного контроля неправомерно; во-вторых, они не должны приниматься длительно, т. е. более месяца; в-третьих, их отмена должна производиться с постепенным снижением дозы лекарственного вещества.

Беллоид (в основе своей — растительный препарат, содержащий алкалоиды красавки), например, в этом смысле куда более безопасен, но и требуемый эффект у него не столь хорошо выражен.

Трава-мурава...

В нашей стране очень любят лечить все и вся растительными препаратами, считая это наиболее безвредным средством лечения. Лично я не могу с этим согласиться, и на то у меня есть две причины. Первая заключается в том, что дозировать такие лекарства достаточно сложно (исключая разве стандартизированные лекарства растительного происхождения); вторая — в том, что они не всегда дают достаточный терапевтический эффект, являясь в подавляющем большинстве случаев более слабым аналогом синтетических лекарственных средств. Так что в каком-то смысле они даже более вредные таблетки, нежели обычные лекарства с фармхимзаводов.

Впрочем, кое-что о лекарственных растениях все-таки сказать надо. Нас сейчас интересуют две группы лекарственных растений: одни — которые обладают возбуждающим действием на нервную систему, другие — которые, напротив, ее успокаивают. Кажется, что здесь все достаточно просто — если человек вследствие своей нев-

Лечит не столько лекарство, сколько вера пациента в доктора и лекарство. Они — суть грубые заменители природной веры пациента в собственные силы, которую они сами и разрушили.

Шри Ауробиндо

растении находится в состоянии пассивности, ему надо давать вещества, которые активизируют деятельность мозга; а если у него развилась патологическая неврастеническая активность, то надо применить успокаивающие средства. Но все не так просто, как, может быть, кажется на первый взгляд...

Должен вам сказать, что еще Иван Петрович Павлов, занимаясь лечением неврастении (правда, все больше им же и вызванной и на собаках), показал, сколь сложно выбрать нужную терапевтическую тактику. Иногда даже в состоянии раздражительной слабости необходимо применять стимулирующие вещества, а в состоянии выраженной пассивности — успокаивающие, а иногда и то, и другое вместе. У самого Ивана Петровича были на то объяснения, есть они и у меня, но приводить их здесь бессмысленно, поскольку читатель в любом случае вряд ли сможет решить эту задачу самостоятельно.

Так или иначе то, что бывает чаще, бывает чаще, а потому если вы решили, что хотите испытать на себе мудрость народной медицины, лучше попробовать лечить апатию стимулирующими средствами, а раздражительность — успокаивающими. Однако повторюсь, гарантии успеха в этом случае нет. Так что сейчас я буду краток и прошу расценивать то, о чем речь пойдет далее, скорее как просто информацию, нежели как врачебную рекомендацию.

К активизирующим растительным средствам относятся: маньчжурская аралия, женьшень обыкновенный, заманиха, левзей сафлоровидный, китайский лимонник, платанолистная стеркулия, элеутерококк колючий и некоторые другие. Применять их можно при наличии признаков выраженной вялости, сонливости, апатии, слабости, снижении интеллектуальной функции и т. п.

К успокаивающим растительным средствам относятся: полукустарниковая амфора, лекарственная валериана, пассифлора инкарнатная, пион уклоняющийся, пустырник пятилопастный, стефания гладкая и некоторые другие. Использование этих лекарственных растений можно считать оправданным при наличии возбудимости, перенапряжения, нарушениях сна, повышенной раздражительности и т. п.

В любом случае, будьте внимательны к своему состоянию и не пытайтесь быстро наращивать дозировку таких лекарственных веществ. Вполне возможно, что именно небольшие дозы этих препаратов окажут значительный эффект, тогда как их большие количества, напротив, только ухудшат ваше состояние. Если в течение недели вы не будете чувствовать эффекта от избранной вами тактики лечения (например, успокаивающими растительными средствами), попытайтесь заменить их на препараты из противоположной группы (т. е. в данном примере — на активизирующие растительные средства).

В целом, лечение лекарствами, приготовленными на растительном сырье, может быть очень удачным и перспективным, однако здесь внимательность и наблюдательность пациента играют куда более важную роль, нежели в случае лечения неврастении обычными, стандартными лекарствами.

Усталость души обычно разрешается телесным недугом.

Генрих Манн

Тревога, депрессия или бессонница?

Мы упомянули уже достаточное количество лекарственных средств, позволяющих серьезно облегчить человеку выход из неврастении. Мне же остается добавить, что врач, назначая лечение пациенту с неврастенией, вероятно, подумает еще о классических транквилизаторах, антидепрессантах и гипнотиках. Возможно, эти лекарственные средства и нужны, поскольку они обеспечивают: снижение общей активности и внутреннего напряжения (транквилизаторы), улучшение качества нервной передачи за счет повышения уровня нейромедиаторов (серотонина, норадреналина и дофамина) в межсинаптических щелях нейронов (антидепрессанты), а также нормализуют сон пациента.

Кое-что я уже рассказывал об этих группах препаратов в других «Средствах» (в частности, в книгах «Средство от депрессии», «Средство от страха», «Средство от бессонницы») и не думаю, что более подробная информация моему читателю необходима. В любом случае это лекарства, которые должны назначаться врачом и продаются в аптеках только по рецепту. И должен сказать, что такая «строгость» связана не только с тем, что эти препараты вредны (большинство из них как раз отчаянно безопасны), а с тем, что каждый конкретный случай требует индивидуального подбора дозировки, а потому врач здесь просто необходим.

В любом случае, если вы избыточно тревожитесь и раздражаетесь, не будучи в силах справиться с этими состояниями, то назначение на короткий срок транквилизаторов может быть оправдано. Если же у вас уже начали отмечаться симптомы депрессии, то, вероятно, придется пройти длительный курс терапии антидепрессантом (коротких сроков при лечении антидепрессантами не бывает в принципе, вне зависимости от тяжести депрессии). Если же у вас отмечаются нарушения сна, то без хороших современных гипнотиков (например, ивадала) выбраться из этой ямы будет ох как трудно.

Так или иначе, но не пожалейте сил и средств для того, чтобы получить полноценную врачебную рекомендацию относительно хотя бы фармакологической части лечения неврастении.

ЗАКЛЮЧЕНИЕ

Вот мы и рассмотрели то, что стоит за таким привычным для нас словом — «усталость». Речь, конечно, шла не о той нормальной и естественной усталости, которая развивается у человека к концу рабочего дня, к концу рабочей недели, ко времени очередного отпуска. В этом случае время после работы, выходные и отпуск вернут человеку растраченные им силы, он отдохнет и будет чувствовать себя замечательно. Какую книгу про это можно написать? Никакую. Поэтому мы рассматривали не нормальную и естественную усталость, а усталость болезненную, патологическую, ту, которая не проходит после обычного, привычного для нас отдыха.

Неврастения — это правильное название для патологической усталости. Истощение психических сил, а именно этот механизм и лежит в основе патологической усталости, приводит к сбоям в работе нашей нервной системы. Психика человека — это сложнейший организм, и подобные сбои, «сшибки», как сказал бы И. П. Павлов, в конце концов оборачиваются «системной проблемой». Какое-то время, правда, организм может справляться с подобными локальными нарушениями своей работы, компенсируя их за счет других возможностей мозга (именно поэтому мы далеко не сразу замечаем у себя неврастению).

Чтобы жить счастливо, я должен быть в согласии с миром. А это ведь и значит «быть счастливым».

Людвиг Витгенштейн

Но эти дополнительные возможности, резервы психики, силы ее МЧС — не беспредельны. Наступает момент, когда они истощаются, и в этот момент система обрушивается, погребая своего носителя под собственными обломками. Тут-то нам и становится понятно, что мы устали... И, конечно, это уже не та усталость, о которой мы только что говорили, эта усталость патологическая. Дальше бал правит болезнь — неврастения.

Неврастения проходит три последовательных этапа. Сначала она сглаживает все проблемы, с которыми мы сталкиваемся, и логику этого — уравнительного — этапа неврастении понять можно. На большие дела нас уже не хватает, а потому все они в нашем субъективном восприятии становятся одинаково маленькими или одинаково большими. Потом мелкие проблемы начинают казаться нам гигантскими, а большие проблемы мозг теперь, что называется, в упор не видит. Они его пугают, он от них шарахается и, будучи в растерянности, бросается на всякую мелочь — мы раздражаемся, паникуем, страдаем и, как следствие, истощаемся. Таковы козни второй фазы неврастении — парадоксальной.

Терминальная фаза болезни — ультрапарадоксальная. И если лейтмотивом предыдущих двух фаз была «раздражительная слабость», «астения», то теперь лейтмотивом становится чувство апатии. Нам на все наплевать, нас ничто больше не интересует, мы ни на что не способны, и кажется, что мир, в котором мы живем, куда-то умчался на экспрессе, оставив нас куковать в одиночестве на заброшенной и забытой богом платформе. Все, государство под названием «Психика» распалось, теперь его территорию населяют различные кочевые племена да еще есть на окраинах маленькие удельные слабые княжества.

С течением времени, по мере прогрессирования болезни от уравнительной фазы до ультрапарадоксальной, ее клиника (набор симптомов) меняется, причем очень существенно. Перед нами проходит настоящее карнавальное шествие симптомов — раздражительность и усталость, внезапное воодушевление и столь же внезапное бессилие, внутренняя снедающая тревога и мелкие страхи, нарушения сна и головные боли, сердцебиения и нарушения памяти, чувство уныния и подавленность, трудность концентрации внимания и состояние прострации, общая вялость и суетливость, потливость и дневная сонливость.

Каждый из этих симптомов в отдельности не кажется столь уж серьезным, чтобы с ним нужно было бы что-то делать. Мы тянем, а болезнь прогрессирует. Этапами нам даже начинает казаться, что мы выздоровели, однако подобные светлые промежутки чаще всего свидетельствуют только о том, что мы упали еще ниже прежнего уровня и теперь просто временно приостановили свое падение. Если бы нам хватило сил увидеть всю эту пеструю гамму своих невротических симптомов одновременно, то, вероятно, мы бы поняли, в какую ужасную яму нас словили. Но, к сожалению, понимание этого приходит к нам слишком поздно.

Вот почему так важно знать все симптомы и все стадии развития неврастении, в противном случае она обязательно затянет нас в самую глубину своего омута. Можно ли из него выбраться? Практика показывает, что это возможно. Хотя, конечно, здесь не обойтись без «непопулярных мер», без введения «чрезвычайного» или даже «военного» положения. После того как вы поняли, что с вами сталось, оттягивать решение этой проблемы нельзя ни под какими предлогами. Извиняющих обстоятельств здесь просто не может быть, вы — в отчаянном положении, и надо лечиться!

Конечно, хотелось бы получить у доктора «таблэтку» и забыть обо всех своих проблемах. Но единственная таблетка, которая может в одночасье избавить нас от неврастении, по российскому законодательству, к счастью, не может быть применена. Да и такой выход вряд ли можно назвать выходом, это уход. А жить надо и надо выправлять положение, поэтому мы начинаем помогать себе сами, восстанавливая свое «порушенное войной хозяйство», определяя главные приоритеты и жизненно важные направления работы. Ситуация выправится, в этом можно не сомневаться, главное — быть последовательными и следовать врачебным рекомендациям.

Надеюсь, что эта моя книга смогла вам чем-то помочь. Хотя не нужно питать иллюзии, книга — это не доктор. И если выполнить все предложенные в ней рекомендации не удается, если они не дают эффекта в указанные сроки, то значит, без профессиональной врачебной помощи и личной работы с врачом-психотерапевтом вам не обойтись. Но что поделать, такова жизнь и таковы правила. А потому если вы не можете выбраться из своих психологических проблем и неурядиц самостоятельно, то собирайтесь с духом и выдвигайтесь за помощью. В этом нет ничего постыдного и зазорного, это нормально, более того — в подобной ситуации это единственно правильное решение и признак заслуживающего всяческого уважения здравомыслия.

Впрочем, конечно, лучше не доводить себя до ручки, чем потом долго и трудно возвращать себя к нормальной жизни. Какие-то самые общие меры профилактики своих психологических проблем мы здесь вкратце рассмотрели. Однако это, безусловно, далеко не все. Наличествующий здесь недостаток, я надеюсь, смогут восполнить другие мои книги — из серии «Карманный психотерапевт» и «Экспресс-консультация». Помните, заботиться о своей жизни, о своем душевном состоянии нужно не только когда тебя уже, что называется, прижало, а в течение всей жизни, постоянно. И желательно делать это со знанием

> Индивидуум имеет в себе способность понять факторы своей жизни, которые приносят ему несчастье и боль, и реорганизовать себя таким образом, чтобы преодолеть эти факторы.
>
> *Карл Роджерс*

дела, о котором я в меру своих сил и пытаюсь рассказывать.

Желаю вам удачи, терпения и уверенности в собственных силах!

Всего доброго и до встречи!

СОДЕРЖАНИЕ

21 правдивый ответ
КАК ИЗМЕНИТЬ
ОТНОШЕНИЕ К ЖИЗНИ

Из детства мы приносим в нашу взрослую жизнь и мечты, и заблуждения. Мы живем с ними, даже не подозревая, насколько сильно они определяют нашу жизнь. Но если есть «классические ошибки», свойственные каждому человеку, то должны быть и некие универсальные правила, способные дать нам силу и уверенность. Здесь вы найдете эти правила, «выстилающие» дорогу к счастью.

Формат книги 84x108 $^1/_{32}$*.*
7 БЦ, объем 256 с.

3 роковых инстинкта
ЖИЗНЬ, ВЛАСТЬ, СЕКС

Нельзя быть счастливым человеком наполовину: ты или счастлив, или несчастлив, третьего не дано. А если ты не чувствуешь себя по-настоящему счастливым человеком, то приходится признать: «Я невротик!» На самом деле это не странно и не стыдно, поскольку в нашем обществе невротиком не станет разве только полностью сумасшедший. Но нужно мужество, чтобы признаться себе в этом, и необходимы знания, чтобы из этой незавидной роли выйти.

Формат книги 84х108 ¹/₃₂.
Переплет мягкий, объем 256 с.

27 верных способов
ПОЛУЧИТЬ ТО, ЧТО ХОЧЕТСЯ

Счастье — это когда ты с удовольствием отправляешься на работу и с радостью возвращаешься домой. Наша работа и личная жизнь должны быть нам интересны. Научитесь получать удовольствие от того, что вы делаете, и дарить удовольствие тем, кто вам дорог, в противном случае даже при условии полного благополучия вы будете чувствовать себя несчастными. Все необходимые инструкции прилагаются...

Формат книги 84х108 $^1/_{32}$.
Переплет мягкий, объем 256 с.

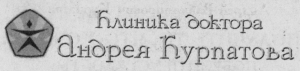

Андрей Владимирович Курпатов

7 уникальных рецептов
ПОБЕДИТЬ УСТАЛОСТЬ
3-е издание

Ответственный за выпуск:
В. Н. Соколов
Редактор *А. А. Котовщикова*
Художественное оформление *В. Н. Соколов*
Верстка *И. А. Савельева*

Официальный сайт
АНДРЕЯ КУРПАТОВА

WWW.KURPATOV.RU

WWW.KURPATOV-LIFE.RU

Подписано в печать 08.02.10
Печать офсетная. Бумага газетная.
Формат 84 x 108$^1/_{32}$.
Гарнитура «Академическая».
Изд. № ОП-07-0067-БР
Уч.-изд. л. 10,1. Усл. печ. л. 13,44.
Доп. тираж 2000 экз. Заказ № 63

ЗАО «ОЛМА Медиа Групп»
129626, г. Москва, Проспект Мира, д. 102, стр. 12
Почтовый адрес: 143421, Московская область,
Красногорский район, 26 км. автодороги «Балтия»,
комплекс ООО «Вега Лайн», стр. 3

www.olmamedia.ru

Отпечатано в соответствии с качеством
предоставленного оригинал-макета
в ОАО «ИПП «Уральский рабочий»
620990, Екатеринбург, ул. Тургенева, 13
http://www.uralprint.ru   e-mail: sales@uralprint.ru

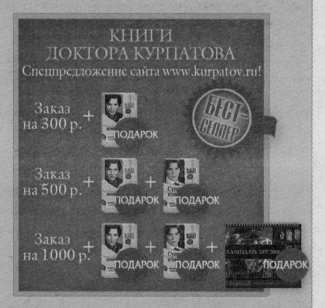